スライム倒して300年、
知らないうちに
レベルMAXになってました
She continued
destroy slime
for 300 years
15
Morita Kisetsu
森田季節
illust. 紅緒

ライカ〝お姉ちゃん〟助けて～♪

ア、アズサ様！
はずかしいですよ…><

高原の魔女
アズサ
レッドドラゴンの娘
ライカ

スライムの精霊（妹）
シャルシャ
スライムの精霊（姉）
ファルファ

犯人は……母さん！
田舎の娘は泣いている

目の前にいるよ！
異議アリ！異議アリ！

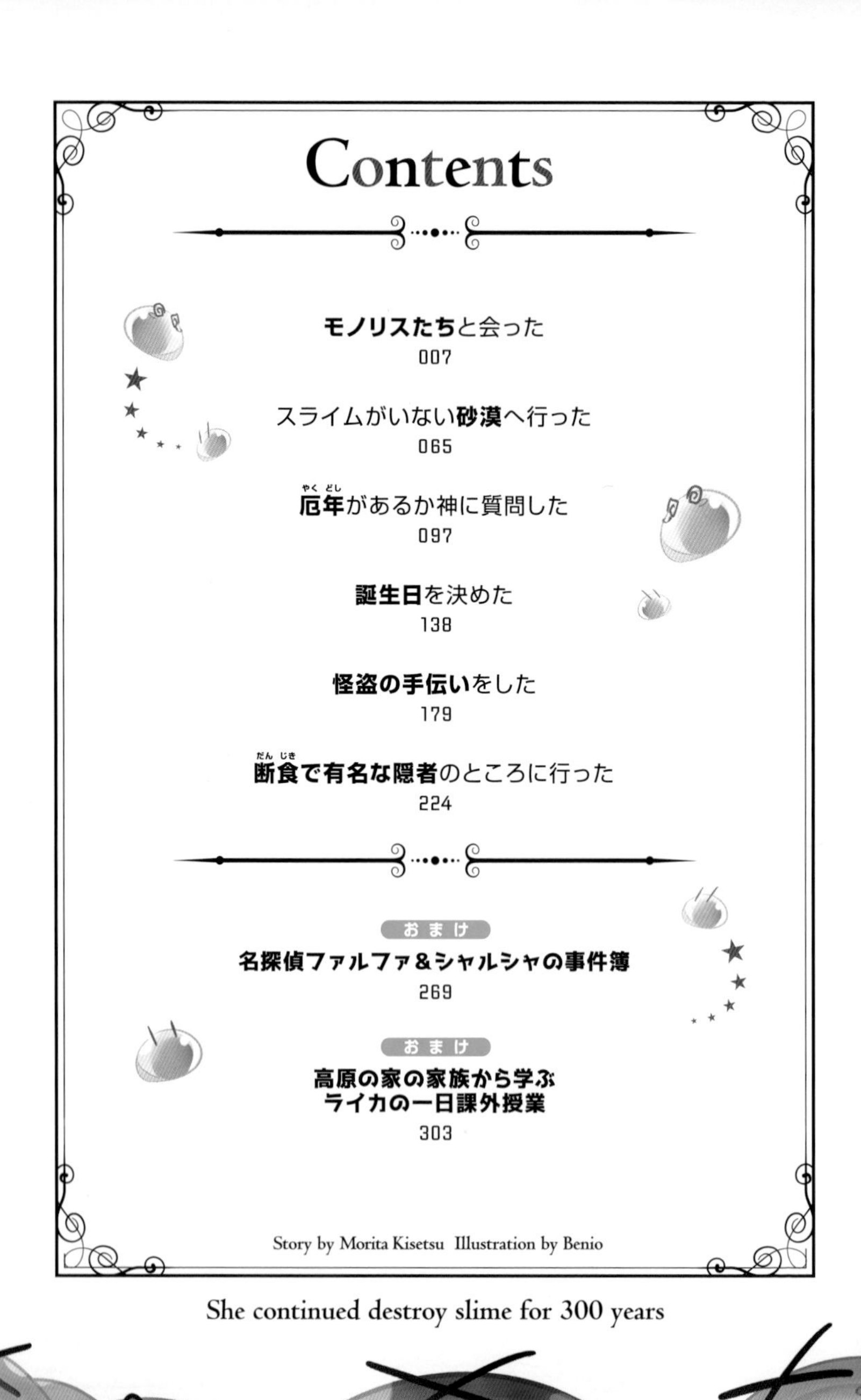

Contents

Story by Morita Kisetsu Illustration by Benio

She continued destroy slime for 300 years

スライム倒して300年、知らないうちにレベルMAXになってました15

Morita Kisetsu
森田季節
illust. 紅緒

アズサ・アイザワ（相沢 梓）

主人公。一般的に「高原の魔女」の名前で知られている。
17歳の見た目の不老不死の魔女として転生してきた女の子（？）。
いつの間にか世界最強になっていて大変な目に遭いもしたが、
そのおかげで家族が出来てご満悦。

ベルゼブブ

ハエの王と呼ばれる上級魔族で、魔族の農相。
ファルファとシャルシャをまるで姪っ子かのように愛でており、
魔界と高原の家を頻繁に行き来している。
アズサの頼れる「お姉ちゃん」。

ファルファ&シャルシャ

スライムの魂が集まって生まれた精霊の姉妹。
姉のファルファは自分の気持ちに
正直で屈託がない子。
妹のシャルシャは心づかいが細やかで
気配りが出来る子。
二人ともママであるアズサが大好き。

ライカ&フラットルテ

高原の家に住むレッドドラゴン&
ブルードラゴンの女の子。
ライカはアズサの弟子で頑張り屋の良い子。
フラットルテはアズサに服従している元気娘。
同じドラゴン族なので何かと張り合っている。

ハルカラ

エルフの娘で、アズサの弟子。
キノコの知識を活かし会社を経営する
立派な社長さんなのだが、高原の家では、
ところ構わず〝やらかし〟てしまう
一家の残念担当に過ぎない。

ロザリー

高原の家に住む幽霊少女。幽霊である自分を遠ざけず、手を差し伸べてくれたアズサに心酔している。壁を抜けられるが人は触れない。人に憑依する事も可能。

サンドラ

マンドラゴラの女の子。三百年育った末に意志を持ち動くようになった存在。れっきとした植物で、高原の家の家庭菜園に住んでいる。意地っ張りで強がっている事も多いが、寂しがりな一面も。

ペコラ（プロヴァット・ペコラ・アリエース）

魔族の国の王。その権力や影響力を使ってアズサや周りの配下を振り回すのが大好きな、小悪魔的気質を備えた女の子。実は「自分より強い者に従属したい」というマゾ気質を備えており、アズサに心酔している。

メガーメガ神

アズサをこの世界に転生させた張本人。
この世界を体現するような、
朗らかで人当たりがよく、
そしていい加減な性格の女神様。
女性に甘く、ついつい甘い裁定をしてしまう。

ニンタン神

この世界で古くから信仰されている女神様。
常に上から目線で、気に入らない相手を
すぐカエルに変身させてしまう困った性格だが、
人間（レベルMAXを突破したアズサ）に
負けたことで、少し丸くなった。

デキさん（デキアリトスデ）

この世界に古くから存在する旧神。
奔放な性格に、怪しい口調。
姿形を自在に変えることができる。
彼女の気まぐれによる世界の崩壊を恐れた
他の神たちによって地底深くに封じられていた。
封印が解かれアズサに負けてからは、ニンタンの下で
地上生活を満喫中（姿は混乱の元なので固定した）。

ユフフ

したたりの精霊（水の精霊の一種）。
アズサをも籠絡する最強の包容力を持つ、
おせっかい焼きなみんなのママ。

キャンヘイン

ダークエルフの怪盗。ハルカラの美術館に
予告状を出し、アズサたちと対決した（捕まった）。
先祖である『マコシア負けず嫌い候』の汚名（遺産）
を世から消すため活動しているが、そもそも
泥棒として腕前不足で不器用。また礼儀礼節を
備えた〝いい人〟なので、全く怪盗に向いていない。

ブッスラー

体術を極め、人化した武道家スライム。
「ブッスラー流スライム拳」を極め
最強格闘技を完成させたいと考えているが、
お金大好きという俗っぽい面も。
ベルゼブブに弟子入りし修行中。

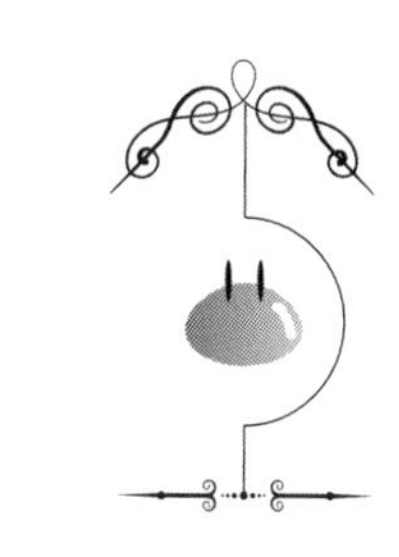

モノリスたちと会った

She continued destroy slime for 300 years

先日、ベルゼブブが来ていた時にこんなことを言っていた。

「今度、仕事で面白い魔族の土地に行くのでな、よかったら娘たちを連れてくるがよい。ヴァンゼルド城まで来ればそこからワイヴァーンで飛んでいけるのじゃ」

「よかったらってことは、娘を連れていかなくてもいいの？」

「いや、絶対連れてこい」

「だったら最初からそう言ってよ」

私だけで行ったりしたら、ベルゼブブは露骨にがっかりした顔をすると思う。

「おぬし一人で来た場合は案内せんからな。ワイヴァーンも用意せん」

「性格が悪い！」

まあ、いつものやりとりなのだが、日程までベルゼブブが言ってきたので、これで理由もなく行かなかったら、また嫌みを言われそうだ。

で、たいていの場合、私たちはとくに用事もない。

ベルゼブブの指定してきた日にもなかった。

私とファルファ・シャルシャ・サンドラの合計四人はライカに乗せてもらって、魔族の土地に向かった。

大人四人だとかなり窮屈だけど、三人が子供なので、どうにかなった。ちなみに私の背中にはサンドラが、その後ろにはシャルシャ、ファルファがつかまっている。

「後ろ、大丈夫？」

「心配ないわ。全員、私の蔓で固定してるから」

たしかに私のところにもサンドラの蔓が伸びている。マンドラゴラに蔓の部分なんてあったかなと思うけど、人間みたいになってるのと比べれば微々たる変化だろう。

「ママ、きっちりフィットしてるよ～！」「ぐらぐら揺れることもない」

後ろの二人からも声がかかった。この蔓って完全にシートベルトだよね。

「でも、面白い魔族ってどういうことだろ？　さすがにお笑いをする魔族とかそういう意味じゃないだろうし……」

「アズサ様、面白いという言葉には、興味深いという意味も含まれています。興味深い生態の魔族が住んでいる土地に行くということかもしれませんよ」

さすがライカは返答が知的だ。

「興味深い生態か……。それはもっともだけど、ある種、どんな魔族の生態も全部興味深いとも言えるしなあ」

普通の人間の基準からすると、カラスもモグラもカンガルーも全部気にはなる。カンガルーがこの世界にいるのか知らないけど、どうせいるだろうな。

もちろん、ドラゴンも精霊もかなり興味深い。人間に近い生活を送っているようでも、やっぱりいろいろカルチャーギャップみたいなのはある。

ましてや魔族ともなると、そのバリエーションが広い。

魔族というのは特定の種族の名前というよりは、魔族の土地に住んでる知能の高い存在すべてを指すから、当たり前と言えば当たり前なのだ。

なので、変わった生活をしている魔族も多いはずだ。

「ファルファは脱皮するところを見たいな～。まだ見たことないんだよね」

「シャルシャは切れた尻尾(しっぽ)が生えてくるところが見たい」

「人間ならありえないけど、たしかに魔族の中でならあるかもね……」

トカゲ寄りの魔族もいるしね。

むしろ、ドラゴンは脱皮はしないのかな。トカゲに近いっちゃ近いし。だけど、ライカに聞くのは失礼な気もするから黙っていよう。


「ねえねえ、ドラゴンって脱皮はするの？　植物の私に教えなさい」


サンドラが遠慮なく聞いた！

「脱皮はしませんよ……。我の知ってる限り、どんなドラゴンも脱皮はしないです！」

サンドラのおかげで結果的にドラゴンが脱皮しないという情報は手に入った。

うん……ライカの抜け殻やフラットルテの抜け殻があったら、ちょっと怖いかも……。

ライカは休憩したり宿で泊まったりしつつ安全運転で飛んでくれて、無事にベルゼブブの言っていた日程前日のお昼過ぎにヴァンゼルド城下町に到着した。

その日はペコラの晩餐会に呼ばれた。

ベルゼブブも顔を出すらしいし、ちょうどよかったので、出席した。娘たちにテーブルマナーも学ばせたいしね。

そんな晩餐会の最中、ペコラが何か思い出したように言った。

「そういえば、ベルゼブブさん、明日は石碑の丘に出張する日でしたね」

ペコラは農相のスケジュールもしっかり覚えているらしい。

「そうですじゃ。久しぶりの石碑の丘ですじゃ」

どうやら、そういう地名みたいだな。名前のとおり、石碑がある丘なのか。

「あそこでしか栽培されてない野菜がありますからな。あそこの住人は良くも悪くも変化というものが小さいので、昔ながらの野菜が品種改良もされずにそのまま残っておるのですじゃ」

ベルゼブブの言葉を聞いて、少し気にかかることがあった。

「ねえ、念のため聞くけど、その土地ってよそ者はあまり歓迎されなかったりする？」

私は心配なくても、今回は娘が行くから、そういうことも確認しておきたい。

「石碑の丘は別に閉鎖的な土地ではないから安心せい。あんまり動かんだけじゃ」

あんまり動かんって何？

動く土地なんて原則ないだろ。

「ですね～。ほとんどお金を稼ぐ必要もない種族が住んでますので、のんびりしてますね。魔族の中でも最も変化に乏しい地域かもしれません」

ベルゼブブとペコラの言葉から察するに、動かないのは魔族のほうか。普段はじっとしているような種族なんだろうか。

「わかった。ガーゴイルの集落なんだね。それでだいたい石像の姿なんだ」

「不正解じゃ。それと、ガーゴイルは食事は行わんといかんし、普通に動き回っておるぞ。いつも石になっておるように感じるのは偏見じゃ」

「じゃあ、動く鎧みたいな種族……？」

「そういうのでもないのじゃ。あと、動く鎧みたいなのは魔族というよりモンスターの類じゃのう。コミュニケーションをとれるほどの知性はないのじゃ」

じゃあ、いったい何なんだろう。

「もったいぶらずに、どんな種族なのか教えなさいよ」

サンドラも気になるらしい。

「いや、ここはあえてもったいぶることにするのじゃ。ただ、ヒントぐらいはあげてもいいかもしれぬのう」

ベルゼブブはにやにや楽しんでいる。ヒントを考え中らしい。

私は小声でファルファに言った。

「ねえ、『ベルゼブブさん、答えを教えてくれないと遊びに来ないよ』って言うと、すぐに教えてくれるよ」

「おい！　そういうのは反則じゃ！　卑怯にもほどがある！」

怒られてしまった。まあ、子供をダシにするのはよくないよね。

「う～む、そうじゃな。石碑の丘の住人はとがっておる連中じゃ」

「とがってる？　住人がアバンギャルドでエキセントリックってこと？」

そんな芸術家肌の人たちが住んでるところなのだろうか。

私の脳内には奇抜なファッションセンスの魔族ばかりの町が浮かんでいた。

「それならたしかに面白い土地と言える。シャルシャはとても気になる」

「でしたら、美術館のようなところも多そうですね」

ライカはアート的なところに惹かれたようだ。それなら娘を連れてこいというのもわかる。文化的だもんね。

けど、自分で言った言葉が矛盾してることに気づいた。

「ああ、アートが盛んなところなら『変化が小さい』わけはないか」

伝統を大事にする芸術家だって多いだろうけど、芸術家じゃないベルゼブブから見れば『変化が小さい』ものとは映らないだろう。

「心配せんでも明日、行けばわかるのじゃ。行けば一発でわかる。どうせなら驚かせたいから答えは言わんぞ」

ドヤ顔でベルゼブブが言っている。

「シャルシャ、『答えを教えないと、もう遊びに来ない』って言ってみて」

「じゃから、娘を悪用するのはやめよ！」

翌日、私たちはワイヴァーンに乗って、その面白い魔族の土地――石碑の丘を目指した。

「石碑の丘というぐらいだから、歴史が深い土地ではないだろうか。そうシャルシャは予想している。過去の事績を刻んだ石碑が大量に並んでいたりする」

なるほど。その説も一理あるな。

シャルシャは到着前からわくわくしている。表情はあまり変わってないが、テンションが上がっているのが私にはわかる。

ただ、それって面白いと言えるのかなと思ったけど、シャルシャとライカは間違いなく面白いと言うだろう。

「そっか、石碑の丘って古代都市っぽい雰囲気がありそうな名前だもんね」

「まあ、いずれわかるのじゃ」

当然ながらベルゼブブだけが解答を知っているので、にやにや笑っている。

この様子だと、過去のことを書いた石碑がずらっとあるというわけじゃなさそうだ。

どうもベルゼブブのペースに乗せられるのも癪なので、わざと思考を放棄してやる。

「きっとそのまんま、石碑たちが暮らしてる丘なんだよ。ああ、お隣の石碑さん、おはようございますって感じで」

「むっ……。それでほぼ正解じゃ。アズサに当てられても楽しくないのじゃ」

雑に答えたら正解してしまった！

だんだんとワイヴァーンが低空飛行に入る。そろそろ目的地が近づいてきたらしい。

「ほれ、あのあたりが石碑の丘じゃ」

ワイヴァーンが着陸すると、すぐにその土地が特徴的なことに気づいた。

たくさんの石碑——かどうかはわからないが、黒い板や紫の板がそこらへんに立っていたり、横に倒れていたりする。

「なんだ、ここ……。芸術家の庭？」

公園などを自分の創作スペースとして使う芸術家もいる。広い空間がないと表現できないタイプのアートもあるからね。その手の展示場所のように感じた。

芸術的価値はわからないが、アートな雰囲気ぐらいはわかる。

「これ、シャルシャの言ってた石碑が並んでる空間なんじゃない?」

「そうではないのじゃ。おぬし、正解しておいて、まだわかってないのか? ただの当てずっぽうじゃから、正解は取り消しじゃな……」

「いや、わかってなくても偶然正解ってこともあるじゃん……」

私はそんなことを言いながら、一枚の黒い板に近づいた。高さは二メートル半ぐらいだろうか。

そこに文字が表示された。上段が魔族語で、下が私たちの使う言葉だ。

下の読めるほうの言葉にこうある。


『ようこそ石碑の丘へ! ここはモノリスの集落です!』


「あっ、モノリスって石の壁みたいなアレのことか」

というか、モノリスって魔族だったんだ……。

「ほんとだ、ほんとだ～! みんなモノリスさんだね～!」

ファルファは早速走り回って、いろんなモノリスの前に立っていた。遠目にはアートの見学をしているように見える。

「モノリス――意志を持った壁や板のような形状の魔族。この世界の中でも、最も独特の種族の一つ。ヴァンゼルド城下町にもまず見かけないので、ほとんど初めての出会いと言っていい……」

シャルシャは興味深そうにモノリスたちの集まりに見入っている。

「ふうん。壁なのね。この中に根とか生やせるのかしら」

サンドラ、その発想は少しグロいからやめて。

「なるほど……。我も意識してモノリスという種族を見たことはありません。これだけの数のモノリスを一度に目にすると、不思議な夢の中にいるようですね……」

「ライカの言うことはわかるよ。石碑がいくつもある中に迷い込んだ感じだもん……」

家らしき建物はほぼないし、はるか先までモノリスがいるだけだ（感覚的には「ある」と言うほうが正しく聞こえる。ちっともモノリスが動かないのもその一因だろう）。

「どうじゃ、面白いじゃろう？　魔族の土地でも、こんなにモノリスだらけという場所はほかにないからのう。貴重な体験じゃから楽しむがよい」

「住人がとがってるというベルゼブブのヒントは正しかったわけか……」

たまに先端部が多少丸くなってるモノリスもいるが、大半はカクカクしている。

テーマパークみたいなところを期待していたわけじゃないけど、けっこう高度な楽しみ方が要求されそうだ。

「ベルゼブブ、粋な計らいは感謝するんだけど、どんなふうに楽しめばいいかわからないから案内を――」

「わらわは農相の仕事に行ってくるのでな。名残惜しいが、しばらくの間、娘たちは任せたのじゃ。母親代理をやっておけ」

「誰が代理だ！　私が母親だ！」

そんなツッコミも聞かずにベルゼブブは自分の羽で飛んでいってしまった。

自由時間がたっぷりあるのなら、事前に教えておいてほしかったな……。ぶっつけ本番だと、観光スポットなんかもわからん！

改めて私は周囲を見回した。

もちろん、モノリスしかいない。

うわ、外国に詳しい友人と一緒に海外旅行に行ったら、旅先で友人が単独行動して、ぽつんと取り残されてしまったような気分……。

どうしたらいいんだ……？　ここが外国の都市なら街並みを歩くなり、景色を楽しむなりすればいいんだろうけど、モノリスがずらっといるだけだからな……。

ただ、似たように不安そうな顔をしている家族がいた。

「アズサ様……ご一緒に行動しましょう……。どうも、我は落ち着きません……。異国の町に置いてけぼりにされたような気分で……」

「ライカ、その気持ち、私も痛いほどよくわかるよ！」

無茶苦茶強いライカが顔を赤らめてもじもじしている。

このあたり、ライカはかなり繊細だと思う。

一方で娘たちはどんどん先に向かっていった。

やけにモノリスを見上げているから、おそらく文字が表示されているのだろう。あれほどの行動力が私とライカにはない。

私はライカの手をつかんだ。

「うん、一人だけだと心細いけど、二人ならゴリ押しでどうにかなるような気がしてくる」

赤信号二人で渡れば怖くない理論。この世界に信号ないけど。

「そ、そうですね……。我もほっとしたような」

「そっか。よかった、よかった。じゃあ、見学に行こう」


「し、しかし……手をつないで回るというのは、どうも恥ずかしいですね……」


まだライカは顔を赤らめている。本当に内気だなあ。

「大丈夫。女子同士が手をつなぐのはこの世界でも普通のことだから。さあ、行こう！ ……とはいえ、どこに行くべきなのかよくわからないから……モノリスに聞こう」

「ですが、聞いて教えてくれるのでしょうか？ 先ほどから一切（いっさい）の話し声が聞こえてこないのですが……」

たしかに、し～んとしている。

モノリスはどっちを向いても視界に入るのだけど、人の気配というものがないのだ。

私たちはとりあえず手近の黒光りしているモノリスの前に近寄った。

「すみません、このへんでお勧めの観光スポットなんかありませんか？」

次の路線馬車は二つ手前の停留所を出ました。

㉓石碑の丘病院経由オーガ谷ターミナル行き

路線バスのバス停みたいな情報が出てる！

「あの……路線馬車は乗らないので、観光スポット教えてくれませんか……？」

『申し訳ありません。ただいま、路線馬車ナビゲーションシステムの勤務中のため、お話しできません』

「これ、労働なんだ……」

「そういえば、時刻表も下のところに出ていますね。それぞれの停留所までの運賃も書いてあります」

「本当にバス停そのまんまだな……」

しかし、モノリスばかりのところだから、これじゃ、どれが停留所かわからないのでは……。

『たまに路線馬車の運転手が停留所を見つけられず、遅延することがございます。あらかじめご了承ください』

「やっぱり、迷うんかい！」

そりゃ、こんなところにいたら、どっちに行けばいいかわからなくなってもおかしくない。

「しょうがない。今度はあっちのモノリスに聞いてみよう」

私はライカの手を引っ張った。二人だから強気にはなれている。


さっきのバス停（？）のモノリスよりも少し背の高いモノリスの前に行った。

「あの～、石碑の丘のことについて聞きたいんですが」

『すみません、ただいま、ヴァンゼルド城下町在住の芸術家の方の作品の仕事をしているので、案内できません。なお、作品名は『存在』です』

「本当に芸術作品として、ここに立ってるんだ！」

ぱっと見で区別がまったくつかないのでややこしいぞ……。

だんだんと私も肝（きも）が据わってきた。

こうなったら、片っ端から質問していってやる。

そうすればどうとでもなるはずだ。右も左もモノリスだらけなのだ。親切でしかも暇にしているモノリスだって、どこかにいるだろう。

今度は横が短くて、結果的に縦長っぽさがより強いモノリスに話しかけた。

「あの、この石碑の丘で観光名所というと、どこですかね？」

『観光名所？　ハハハ！　ないんだな、これが！』

能天気に自虐的なことを言ってる！

「そ、それではモノリスのことについて教えていただけませんか？　モノリスではない我たちからするといろいろ気になるのです」

ライカがサポートに入ってくれた。そう、モノリスの生態そのものも、なかば観光対象だ。

『わかった、わかった。じゃあ、俺についてこいよ』

そのモノリスが、ずずずっと地面を引きずりながら動き出した。モノリスってこうやって移動するんだ……。

「俺たちっていうことは男性なのですか？」

『いや、モノリスには性別なんてないさ。だって基本的に壁だからな』

「まあ、壁だよね……」

私たちはそのモノリスについていく。

どうにか、ぶっつけ本番の旅が軌道に乗り出した。

『俺たちはだいたい縦長なんだよ。ほら、モノリスっていうと、縦長ってイメージがあるだろ？』

「言われてみると、縦長を思い浮かべますね」

周囲を見てみても縦長が目につく。横になって寝ているのもいるけど、なんとなく倒れているように見える。

『だけど、中には横長の奴もいるんだ。ほら、あんたらの前の奴な』

「あれって横になってるんじゃなくて、ああいう体型なんだ！」

『あんなに横長だと格好悪いと言われるな。横長の体型をコンプレックスにしてる奴も多い』

「背が低いことがコンプレックスですみたいなことって、モノリスにもあるんだ……」

と、モノリスと比べると一般的な角の生えた魔族が、その横長のモノリスに座った。

『ほら、ああやって椅子扱いされたりするだろ』

「なんか哀れだな……」

しかし、次の瞬間、そのモノリスが前に倒れた。

角の生えた魔族がつぶされていた。「ぐへえ……」といった声が聞こえてきた。

「我も気持ちはわかります。ドラゴンの姿になっている時に、無断で乗られると腹が立ちますから」

『座られたので、どかしたんだな。許可なく座るのはマナー違反なんだ』

「いや、その無断で乗った奴、命知らずすぎるでしょ……」

振り落とされて、炎を吐かれたらとんでもないことになるぞ……。

『その点、縦長だと高くて届かないからな。誰かに座られることも少ないってわけだ』

「へぇ……。なかなか勉強になるよ……」

『ただ、背が高ければいいってもんでもない。ほら、あっちを見てくれ』

ものすごく縦に細長い棒みたいなモノリスがいた。

実際、モノリスだらけの土地でなければ、材木を突っ立てているように見える。

その時、風が吹いた。

そのモノリスは傾きかけて、あわててジャンプして姿勢を元に戻した。

『なっ？　バランスが悪いんだ』

「モノリス、意外と奥が深いですね……」

「これは変わった生態だ……。ほどほどに縦長のものしか意識してなかった……」

体のどこの筋肉でジャンプしたのか謎だけど、そんなこと言ったら壁や板にしか見えない生物がいる時点で奇妙か。生命に神秘はつきものだ。

『ちなみに、あそこまで背が高いのは整形手術をした奴だと思う』

「整形⁉」

まったく頭になかった単語が表示された。

『ああ。体を半分に切って、切った片方を上にくっつけるんだ。理屈の上では、背の高さが倍になる』

「それは死なないの……？　死なないからやれるんだろうけど……」

『モノリスは特定の場所に臓器があったりするわけじゃないから問題はない。もっとも、それで背が高くなっても、生まれながらに背が高くてさらに安定感もある奴に勝てないっていうコンプレックスが出てくるから終わりはないんだ。自分を愛してやることしか、そこから抜け出す道はねえな』

「モノリスの生き方もそんな単純なものではないんですね……」

「容姿から一番かけ離れたように見える種族なのに……」

主語が大きいかもしれないが、生物の業(ごう)みたいなものを感じる。

『あと、整形といっても、これも流行みたいなのがある』

「「流行⁉」」

私とライカの声が重なった。

『最近は背を高くするにしても、多少は安定感を意識した整形が流行(はや)ってる。たとえば、あれだな』

そこには、テ◯リスのように――

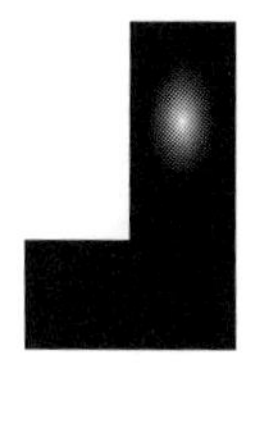

Lを左右反転した形のモノリスがいた！

『あれなら土台が安定してて、バランスがいいからな』

「ちゃんとそのあたりのことは考えてるんだね……」

『だが、そこはあえてバランスの悪いことをするほうがかっこいいと思う奴らも出てくる。あんたらの中にも、意図的に破けた服を着るほうがかっこいいと思う奴がいるだろ？』

ダメージジーンズみたいなファッションだろうか。多分、どこかには存在するんだろう。

『それがあれだな』

なんか不良のリーゼントみたいだな！

「これはたしかにバランスが悪いですね……。頭が重くて、すぐに倒れてしまいそうです。ところで、あの方はさっきの土台が安定しているような形の方が逆立ちしてるわけではないんですよね?」

そういえば、回転したらそうなるよな……。

『いやいや、上と下の区別ぐらいつくだろ。あんたらだって逆立ちしてずっと歩いてたら、いくらかっこよくても変な奴だと思うはずだぜ』

「正論ではあるんだけど、上と下の見分け方がわからん!」

ライカはじぃっと、モノリスの上と下を見比べていたが、降参するように両手のひらを上に向けた。

「まったくわかりません……。色や形にも上下で差があるようには思えませんし」

『黒っぽいモノリスだとわかりづらいかもな。白寄りの奴だと、下のほうが汚れがちだから、判断ができる』

「結局、汚れで区別するんじゃん!」

まだ私とライカはカルチャーショックについていけていない。

『もちろん、生まれながらにああいう不安定な形の奴もいる。そんな不安定な奴と安定した奴が支え合って生きてるケースもあるぜ。ほら、あっちを見てくれ』

そこにはこんな形のものがあった。

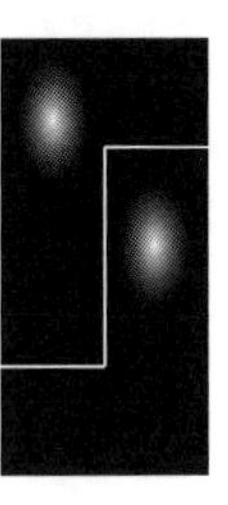

さっきの二つの形が合体している！

なぜだろう……。そこはかとなく卑猥（ひわい）なようにも見える……。ああ、でも、モノリスに性別はないんだったな……。

「モノリスの生活など考えたこともありませんでしたが、大変勉強になりました。ここに来られて本当によかったです。丁寧なご説明感謝いたします」

ライカがお手本のようなお礼を言った。

「私もためになったよ。知らないことばかりで面白い」

面白い――か。

まさにベルゼブブはこういう経験をさせようとしていたわけだな。きっちりと術中にはまってしまった。

『そりゃ、よかった。俺にとったら見慣れた光景なんだけどな』

しかし、「見慣れた」って、どこで見てるんだ？

気になるところが多すぎる。

私たちに話をする間も、その案内をしてくれるモノリスはずずずっと体を引きずって移動している。これ、摩擦で削れたりはしないのだろうか？　生物だとしたらまた伸びたり（？）するのかな。

『それと、最近だと観光資源が少ないってことで、あんなゲームも行われている』

私たちの視界の先にやけに一般的な魔族が集まっていた。

なんだ、ちゃんと魔族が観光する場所も作ってるんじゃないか。

モノリスの一体に『ブロック崩しゲーム会場』と書いてある。

「ブロック崩し……ですか？　崩れたらモノリスの方はケガをしてしまうのでは……」

ライカの懸念（けねん）にすぐモノリスが回答を表示してくれた。

『もちろん、本当に崩すわけじゃない。ちょうど子供が遊んでるな』

子供という表示で、もしやと思った。

私の娘たちが対戦相手の魔族と勝負をしていた！

「あっ、モノリスさん、左下のほうに移動して！」

「姉さん、そこはもっと溜めて、長い棒で一気に消す戦法でいくべき。モノリスさん、一度回転してとりあえず横にどいてほしい」

「シャルシャ、まず段を下げることが先決でしょ！　まだこっちが押されてるんだから！　一番上まで埋まっちゃうわよ！」

両チーム、テ〇リスみたいなモノリスが上からゆっくりと降ってきている……。

「ていうか、あなたたち、浮けるんだね……」

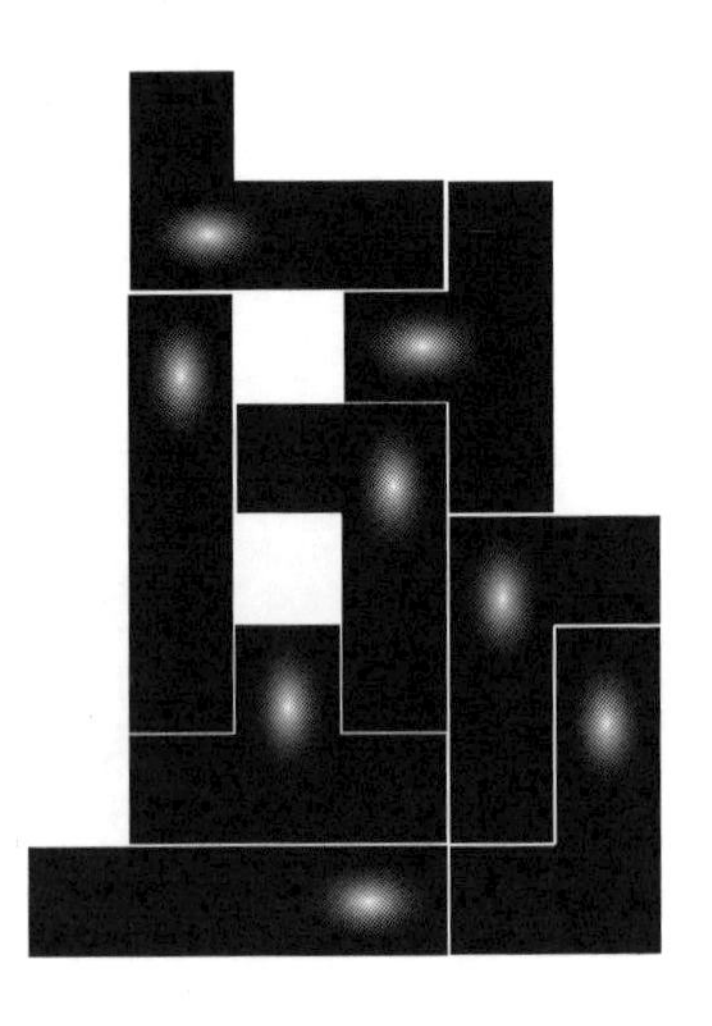

『ちょっとした高さならな。これはシンプルなゲームだけどな、なかなか対戦が白熱するらしいぞ』

「ほほう！　これは頭の体操になりそうですね！　あれ……アズサ様、やけに呆然とされてらっしゃるようですが、どうしました？」

「いやあ、どこかで見たことあるゲームに似てるなあと思ってね……」

娘たちに声をかけようかとも考えたけど、ゲームに熱中しているようなので、気が引けた。

しかも、敵の魔族チームとかなりの接戦だった。ここで心を乱してしまうのは親とはいえ無粋だと思う。

「やったー！　長い棒が来たよ！　これで四段消せるね！」

長いモノリスが隙間にはさまると、たしかに下の段のモノリスが消滅した。

そして、その分のモノリスが敵チームの底からずり上がった。

「ねえ、これはどういう原理なの……？」

『俺もよくわからないんだが、瞬間移動の魔法を上手い具合に使ってどうにかしているらしいぞ。モノリスの中には魔法が得意な奴もいるからな。詠唱はできねえんだが』

なんか、しゃべってるみたいな気がしているが、あくまでもモノリスの言葉は文字として表示されているだけだ。

「瞬間移動の魔法か……。原理上は不可能じゃないか……。移動も近い距離だし」

瞬間移動の魔法は私も使えるが、せいぜい敵の攻撃を回避するだとかそのぐらいでしか使えない。なので、ヴァンゼルド城下町にいつでも行きたい時に行くといったことはできない。

「ですが、詠唱なしで魔法を使用するとなると、かなり魔力が高くないと難しいはずですね。モノリスという種族は何か特性でもあるのでしょうか？」

ライカは分析も詳しい。

『ああ、ちょうど両方のチームのモノリスが落下する中間に審判がいるだろ。あいつをよく見てくれ』

立派な縦長のモノリスが中央に立っている。立っているという意識がモノリスのほうにあるのかは不明だけど、私からは立っているように見える。

「やったわ！　また二段まとめて消せるわね！」

サンドラが二段消せるようなモノリスを隙間に入れた。

——ブオンッ！

その時、中央の審判モノリスの体にすごく複雑な魔法陣が表示された！

「そういうことですか！　瞬間的に魔法陣を描けるんですね！」

「意味はわかるんだけど、あれって描いたって言うの⁉」

おそらく魔法陣をいくらでもあのモノリスは自分に表示できるのだろう。それで魔法が発動するらしい。

「ねえ……ライカ、あれって、使い方次第だと強力な魔法を魔力が続く限り、連発できるんじゃない……？」

「それはありえますね。だとすると、魔法が使えるモノリスはかなり強力な種族だということになりますね……」

『おっ、褒めてくれてるのか。うれしいな』

文字の下に笑ってる顔が表示された。

案外、いろんな意志疎通の方法があるんだ……。

私が生まれる前の昔のゲームは、名前を入力する時に、ひらがなやカタカナで四文字しか入れられないものや濁点が一文字に含まれちゃうものがあったりしたらしい。

それと比べると、モノリスの文字を出す機能のほうがはるかに高水準だ。スタンプを相手に送れる程度に進んでいる。

『俺たちモノリスに興味を持つ奴らなんて、魔族でも少ないからな。なにせ、黙り込んでるから影が薄いんだよ。しゃべらないから、気づいてもらいにくい』

「そんな悩みがあるんだ……。でも、周りにしゃべる魔族がうじゃうじゃいたら、そうなるか」

声が出ないというのが、不便な状況もあるよね。

やはり、モノリスはモノリスなりの問題があるようだ。魔族たちも多数派なのはあくまで人に近い姿をしている者たちなので、モノリスのことまで頭が回りづらいというのもあるだろう。

どんなものでもそうだけど、少数派は後回しにされることが多い。

『これでも古代の伝説では、最大規模のモノリスは【神々の遊戯場】と呼ばれたぐらいに神聖な存在だったはずなんだがなあ。俺が存在するはるか昔のことだからよくはわからねえけど』

「いかにも昔からいそうな種族だもんね」

なんというか、造物主がいたら、簡単に思いつきそうな形状をしている。四角い板みたいな生物を作ろうと考えたら、すぐにできそうだ。芸術的センスがない神様でも作れるのではないか。

その時、ライカの口が「あっ」と小さな声を上げた。

何かを思い出したらしい。

「あの、そんな古いモノリスの歴史が学べる博物館などはありませんか？」

本当にライカはそういうのが好きだな。

もっとも、このモノリスたちにどんな過去があったかというのは私でも気になる。

明らかにほかの種族と比べて違いが甚だしいし、意外な歴史を持っているんじゃないだろうか。

「どうせ観光のスケジュールも決まってないし、博物館を見学するのもいいかな」

『博物館か。そういうのはねえんだよな。ただ、とてつもなく昔から存在しているっていう長老はいるぜ。通称で箱の翁と呼ばれてる。そいつに聞くのがいいだろうな』

箱の翁か。かなり独特の通称だな……。

箱ということは、奥行きがあるってことなのか？　もしかして、老成すると奥行きが出てくるのか？

気になることが多すぎて、話が脱線しそうになるので、一回止めておこう。

「わかった。じゃあ、箱の翁のところに向かうことにするよ。そこまでは案内してくれる？」

『ああ、いいぜ。ここに地図も表示できるけど、連れていくほうが確実だしな』

なんだかんだでこのモノリスは優しいな。

「そういや、あなたの名前をまだ聞いてなかったや。なんて言うの？　私はアズサでこっちのドラゴンの子はライカね」

ずっと親切なモノリスとだけ覚えておくのも失礼だなと思った。もっとも、近い形状のモノリスに並ばれたら、区別はできないだろうけど……。

モノリスに名前がぱっと表示された。


『俺の名前はモ━85209だ』

「記号的すぎる！」


もう名前とは言えないだろ！　品番だろ！

『モノリスにとったらこれでいいんだよ。ちなみに箱の翁はモ━1だ』

それって最初のモノリスってことかな……。

「アズサ様、かなり伝説的な人物と出会うことになりそうですね」

ライカが期待と不安とが入り混じったような表情になる。

このあたりは本当に勉強熱心な少女というようにしか見えない。

いや、まさにライカはまだまだ少女であって、つまり発展途上なのだ。これからさらに立派なドラゴンになっていくのだろ――

「……いや、ライカはもう十分に立派だし、これ以上すごくなろうとしなくてもいいや」

「何の話ですか？　それに我はもっともっと精進(しょうじん)しなければなりません」

その向上心がなくなったらライカではなくなっちゃうから、しょうがないな。

◇

私たちはモー８５２０９の案内に従って、箱の翁のところへと進んでいった。

名前が囚人みたいだが、そういう名前なのでしょうがない。

モノリスにとったら個体の識別ができれば、名前に関しては、かわいさもかっこよさもいらないのだろう。

モノリスたちの間を抜けて、奥へ奥へと向かう。

やがて景観がじわじわ変わってきた。

両側に木が並びだして、ちょっとした森のようなところに入っていく。

「へえ、丘にモノリスが並んでるだけじゃなくて、こういう場所もあるんだ」

「奥まった薄暗いところは神聖な場所と考える種族が多い印象があります。人間もそういう傾向があるかと」

「わからなくはない。何かありそうって感じは受けやすいものね」

たんなる町の中よりは、鬱蒼とした森のほうに神秘を感じるだろう。

また前を行くモー８５２０９の背中（もしかすると、おなかかもしれない。あるいはどっちでもないかもしれない）に文字が表示された。

『モノリスにとっても、この先は特別な空間だな。ただ、神殿があるってわけじゃなくて、箱の翁がそこにいるからなんだが』

「ほほう。だとすると、その箱の翁さんが神官や巫女に位置する存在なのかもですね」

じゃあ、私も気を引き締めないとな。失礼がないようにしないと。

『箱の翁は最も神に近いモノリスだとされてるんだ。実際、百年や千年に一回、神の言葉を発信することがある。それ以外はじっとしてるな』

神託を出す箱か。

不謹慎かもしれないがおみくじボックスが私の頭には浮かんでいた。

その箱の翁を振ると、小さな穴から数字のついた棒が出てきて、その数字のおみくじに該当する紙が神託なのだ。

まあ、モノリスの中に棒なんて入ってないだろうし、まして紙が用意されてるわけもないから、こんな想像どおりのわけはない。

「あの、アズサ様、くだらない話なのですが」

「ああ、うん。何？　ちなみに私もだいぶくだらないことを考えてた」

「長老の通称は箱の翁なんですね。板の翁のほうがしっくりきそうだなと思うのですが」

私は前のモー８５２０９を見た。

うん、板だ。箱より板に近い。

「だねえ。板のほうがしっくりくる」

『お前ら、言いたい放題だな……』

モー８５２０９の文字の後ろにあきれた顔の顔文字みたいなのが表示された。

しまった。言い過ぎたかな……。

『だけど、普通のモノリスばかり見てたらそう思うのも無理はねえな。咎があるとしたら、俺の説明不足だ』

「なんていうか、モー８５２０９って理性的だね。落ち着いてるっていうか」

そもそも、本能的なモノリスというのが思い浮かばないんだけどね……。

『それに何代も前の魔王も人間への攻撃に板として使ったことがあるしな』

「板として？」

『勇者の住む町の周辺を多数のモノリスを敷き詰めて密閉したらしい』

「地味だけど嫌な攻撃だ！」

ペコラも性格が悪いというか、私の嫌がることをよく考えて行動する時がある。ずっと前の魔王がペコラの先祖だとしたら、性格が悪いのは先祖譲りなんだろうか……。

いつのまにか、森はさらに深くなっていて、日の光もほぼ入らなくなっていた。

魔族の土地はただでさえ日の光が弱いので、日の入り直前といった感じだ。

そこでいきなりモー８５２０９が止まった。

『一つだけ忠告しとくぜ』

「い、いったい何？」

『伝説では箱の翁に入ると神に出会うという話がある。【神々の遊戯場】って言われてるぐらいだからな。でも、あまりめったなことはしないほうがいいぞ。箱の翁が何を考えてるか俺たちモノリスもわからねえんだ。責任がとれねえ』

「うん、そこは気をつけるね」

異文化交流は相手に一定の敬意を持って行うのが鉄則だし。

『……つーかな、箱の翁がモノリスなのかすら本音を言うとわからねえんだ。実は神が作った、モノリスのプロトタイプなのかもしれねえ……』

モー８５２０９の態度からは、箱の翁に対する畏（おそ）れのようなものが感じられた。

もっとも、それは神聖なものへの自然な反応なんだろうか。

不思議だったり、得体のしれないところがあったりするからこそ、それを神聖なものとしてみなせるのだ。

箱の翁がしょっちゅう暴露話をしたら、崇（あが）めることもできなくなっちゃうはずだ。

仲間のモノリスに、モノリスかどうかわからないとまで言わせる箱の翁か。

果たして、どんなモノリスなんだろうか。

かえって興味が湧いてきた。

ベルゼブブもここまで予想して、「面白い魔族の土地」と言ったわけではないはずだが、いろんなことに興味を持つライカだけでなく私のほうまでモノリスのことをいろいろ知りたくなっている。


――そして。

ついに私たちは箱の翁のところにたどりついた。

私たちの前には、一辺が十メートルぐらいの漆黒の立方体があった。

「これはたしかに箱だ！　本当に奥行きがあったんだ！」

この姿を知っていたら、板の翁なんて呼べるわけがない。

今まで見てきたモノリスよりも極端に分厚い。

ライカも呆然としながら、その箱を見上げている。

ドラゴン形態になれば、驚くほどの大きさではないのかもしれないが、それでもこんなサイズの立方体は知らないだろう。

モー８５２０９が離れたところから、大きな文字を右から左に向かって流した。そういう電光掲示板みたいなこともできるのか。

『偉大なる箱の翁よ、二人の客人をお連れしました。差し支えがなければ、モノリスの歴史について教えていただけないでしょうか？』

ライカが小声で私に囁（ささや）いた。

「あのモノリスさん、怖がっているようですね。かなり手前で止まっています」

「そりゃ、自分とサイズも形状も相当違うからね……。モノリスじゃないかもしれないって言うのもわかる」

こんなに背の高いモノリスは石碑の丘にはいなかった。もしも箱の翁を開封できたら、大量のモノリスを収容できちゃうはずだ。

しかも、板状じゃなくて、箱みたいとなれば、モノリスとは似て非なる種族なのではと思いたくなるのもわかる。

もし地球でこんな黒い箱を見つけたら、未知の何者かとの遭遇だと思うだろうな……。圧倒的なオーパーツっぽさがある。


さて——私たちは箱の翁の反応を待ったのだが。

……いっこうに何の反応もなかった。

私は後ろのモ—８５２０９のほうに振り返って言った。

「ねえ、遠くて箱の翁に見えてないんじゃない？　そもそも、モノリスってほかのモノリスの文字の表示って見えるものなの？」

目に当たる部分がどこかさっぱりわからない。

『通常はモノリスが出した文字は理解できるものだぜ。もっとも、箱の翁に通じてるかはわから

ねえがな……。箱の翁は本当に何から何まで特別なんだ』

実物を前にしているので、言いたいことはよくわかる。

私はライカの手を引いた。

「私たちはもう少し近づいてみようか」

「そ、そうですか……？　気にはなりますが、あの箱の方が突然怒りだしたりしないでしょうか？」

「べたべた触ったりすれば失礼だけど、あいさつするにしても遠すぎると変でしょ。あと――この形状なら強風が吹いて倒れてきたりってことも絶対ない」

そこはある意味、ありがたい。

板チョコを立てたようなモノリスは、ちょっとバランスが崩れるとばたんと倒れてきそうな危うさがある。

しかし、この箱の翁はまさに箱なのだ。

抜群の安定感を誇っている。

それこそ、巨人がサイコロ代わりに振ったりしない限り、転がることはないだろう。そして、この箱の翁を振れるほどの巨人は私の知る限り存在しない。

「ですね。サイズからしても、こちらが見下ろす構図にはなりえませんし、不敬な態度もとりようがないです」

ライカも納得したらしく、私たち二人は前に進み出た。

それから個別にあいさつをした。

「お初にお目にかかります。高原の魔女アズサと言います。ええと、この土地には魔族の農相の紹介で来ました。さらに言うと、魔王にも一言断ってから来ました」

「我はレッドドラゴンのライカです！　よろしくお願いします！　もし可能であれば、後学のためモノリスの歴史をお聞かせ願えないでしょうか？　お忙しいかと思いますが、なにとぞよろしくお願いいたします！」

なんか私とライカの性格の違いが出た。

私は魔族の偉い人からアポイントメントをとってきたというような、保険をかけた言い方だ。

いくら箱の翁が偉いとしても、農相と魔王の名前を出せば、最低でも私たちを無礼な奴と認識して攻撃したりはできないだろう。箱の翁という名前で、気の短い乱暴者ということはないはずだ。ペコラに断ってきたというのはグレーな気もするが、石碑の丘に行くということはペコラも知っているので、完全なウソでもないだろう。

ライカのほうはなんかビジネスメールみたいな感じがあるな……。丁寧な性格というところがよく出ている。

しかし。

……。…………。

完全な沈黙。これだけ言っても、箱の翁には何の反応もなかった。

一文字も漆黒の壁面には表示されない。

実は私たちの見ている面がほかのモノリスの側面部分に当たったりするのだろうか？

いや、わざわざ横を向いて鎮座しているというのは変だろう。だいたい顔という概念がないなら、正面も背面も側面もないはずだ。

「あのー、すみませーん」

先ほどより大きめの声を上げてみたが、なしのつぶて。

ゲームだと、この箱の翁の前で特別なアイテムを使ったりしないといけない場面だが、そんなものはないと思う。

「我たちの所作に何か問題があったりしませんか？」

ライカが後ろのモー８５２０９のほうに尋ねた。

『元々、箱の翁はこっちの言葉にほぼ反応しないんだ。神の言葉以外は伝えないとも言われてるし……』

それって神託専門ってことか……。じゃあ、ふらっと来て、歴史を聞かせてくださいと言っても、ほぼ確実にスルーされる気がする。

「う～ん。最も古くからいるモノリスだけど、コミュニケーションがとれるとは限らないわけか。

これは諦めるしかないかな」

特別な存在なのは一目でわかるけど、逆に特別すぎて何か教えてもらうようなことはできないという感じだ。

「ですね……。【神々の遊戯場】と呼ばれていたというのは、然りと思えますが。このような大きくて箱の形をしているモノリスを目にすれば、魔族にしても、人間にしても、なにかしら神の手が入った創造物だと考えるはずです」

「遊戯場か。この上で遊んでいたなんて伝説が生まれたのかな」

前世でも、平べったくて巨大な岩の上で神様が遊んだなんて伝説は多かった記憶がある。昔の人間は巨大なものはすごいと考えるところがある。

「アズサ様、どうやら違うようです」

また後ろを向いたライカが言った。

モ—８５２０９にまた大きい文字が右から左に流れていた。

『いや、【神々の遊戯場】っていうのは、箱の翁の上で神が遊んだからじゃなくて、箱の翁の中で神が遊んでいたという伝説からきているんだ』

「上じゃなくて中？　となると、伝説でも中は空洞ってこと？」

——その時。

元々暗い周囲がさらに暗くなった気がした。

いったい、何が起きた⁉

「アズサ様、まずいです！」

「えっ⁉」

ライカの声ではっと前のほうに顔を戻した。


なんと箱の翁がこっちに傾いてきていた！


もしや、自分の意思でこっちに倒れてきたの⁉

完全に危害を加える気じゃん！

しまった！　まったく気配がないから反応が遅れた！

そのまま、私とライカに箱の翁はのしかかってくる。

回避は間に合わないか。

内部がスッカスカなら、いっそ両手を突き出して、つっかえ棒になってやる。

押し戻せないにしても、倒れてくるのを留められれば、手の打ちようはある——

◇

「――おい、おーい。起きよ、起きよ。いつまでも寝てないで起きよ」

「アズサ様、アズサ様」

呼びかけられていることに気づいた。

一人はライカだということはすぐにわかったが、もう一人は誰だろう？

そういや、私は箱の翁という超巨大なモノリスにつぶされたはず……。だけど、ライカの声がするということはライカも無事で、どうやら私も無事ということだ。

私はゆっくりと目を開けた。

当然、ライカが目の前にいる。肝心なのはもう一人のほうだ。


神様のニンタンがいた。


「あれ？　なんでニンタンが？」

というか、ここはどこなんだ。場所はずいぶんとシンプルな会議室みたいなところだ。中央に大きなテーブルが置いてある。

その会議室の隅のソファーに私は寝かされていたらしい。

まさか箱の翁につぶされて死んだのか……？　いや、それにしてはニンタンが呑気（のんき）だから、そんなことはないと思う。

「朕としては、なんでそなたらがおったのかのほうが謎であるぞ」

よく見ると、テーブルの席にはメガーメガ神様と、旧神のデキアリトスデさん（通称デキさん）が座っていた。

メガーメガ神様はこちらに手を振っている。メガーメガ神様のほうは常に呑気だから、深刻じゃない状況かどうかの判断には使えない。

「悪いけど、どういう状況なのか詳しく聞かせて……」

脳がまだ混乱している。

「どういう状況って、【神々の遊戯場】で朕たちがゲームをしている時にそなたらが来たから、せっかくなので中に入れただけである」

むっ。

今、何か、知っていた単語を違う用例で使われたような……。

「もしかして………箱の翁が【神々の遊戯場】と言われてるのって、まさに神々の遊戯場だからなの⁉」

「そなたはバカか？『この店が服屋さんって呼ばれてるのって、もしかして服屋さんだからなの？』みたいな質問をされても困るぞ」

伝説でもなんでもなくて、ただの事実だった！

【神々の遊戯場】と呼ばれていた箱の翁は、たとえではなくて、神様がゲームをするための場所そのものだったということか！

奥からメガーメガ神様がやってきた。

なんか石板――いや、黒板みたいなものを持っている。

「ちょうど、ゲームが一つ終わって神様が二人ほど用事があるって帰ったんですよ～。そこにアズサさんが偶然来たので、せっかくだし入ってもらおうかと思ったわけです」

奥でデキさんも「三人だとやりづらいデース」と両手を振っていた。この時代に慣れてないのか、リアクションがオーバーな感じがある。

ライカは先に話を聞いていたのかそこまでショックは大きくないようだったけど、それでも困惑した顔にはなっていた。

私としては、まだまだわからないことがある。

「あの……なんで遊戯場がここに、こんな箱の形をして存在してるの……？」

「それは、どうして高原の家がナンテール州にあるのかと尋ねるようなものである。ここにあるからとしか言いようがない。もっとも、当時、魔族も住んでなかったようなド田舎(いなか)に設置をしたはずであるがな。町の中に出すと何かとうるさいであろう」

そりゃ、都会にこんなものがあったら、目立ちすぎるからな。

でも、そのニンタンの説明だけではまだ納得がいかない。

「だって、ここ、モノリスたちの集落じゃん。こっちは箱で、モノリスは板や壁みたいとはいえ、いかにもつながりがありそうだよ」

実際、モノリスたちは、この【神々の遊戯場】をモノリスの長老だと考えていたのだ。

「私は、神様が【神々の遊戯場】を作ったあとに、その薄いバージョンであるモノリスという生き物を作ったと思ってるんだけど、どうかな？」

まさに生物の起源に迫る、なかなかとんでもない質問だと思う。


「いや、モノリスたちが【神々の遊戯場】にシンパシーを感じて、この近くに住みはじめただけで、こっちからは何も手を打ってなどおらぬぞ」


ただの偶然だった！

「朕たちも騒がしくなるのは嫌だなと思ってはおったが、モノリスだとしゃべらんからうるさくもない。なので、放置しておる」

たしかに野生動物の鳴き声ぐらいしか、この森にはないのか……。

「じゃあ、モノリスとこの箱を作った神様が同一人物だったりとか？」

「いくらなんでも聞きすぎじゃ！　人間が知ってはダメな領域に入ってるから答えぬぞ！」

「そっちから導き入れてきたんだし、教えてくれてもいいじゃん……」

「無理である！」

ニンタンは両手を交差させて×を作った。

仕方ない。これは諦め――

「モノリス、とっても古代からいましたデース。この箱も古いですけど、つながりはあまりないデース」

デキさんがあっさり教えてくれた！

「おい！　なんか朕が間抜けではないか！　カエルになれ！」

ニンタン女神の両手から青白い光が出た。

そして、デキさんではなく――メガーメガ神様にぶつかった。

「当てる相手、違ってるよ！」

「しまった……。いつもメガーメガに打っていたから条件反射で……」

神様はあまりそういうイージーミスはしないでほしい。変な空間に場違いな巨大カエルが生まれてしまった。

それにしても、メガーメガ神様、しょっちゅうカエルにされてるな……。

「やっぱり、たまにはカエルにならないと体がなまるゲロ」

本人もカエルになるのが趣味みたいになってるらしい。

「さて、話が脇道(わきみち)にそれてしもうたが、ゲームの話をするぞ」

ニンタンがそう言ったタイミングで、メガーメガ神様がカエルのベロを使って何か転がしてきた。

「おい、汚いから、あとで洗ってこい」

私もニンタンに同意する。

その転がってた物は私の前で止まった。

六面のサイコロだった。なお、出目は3である。

「サイコロにちなんだとしか思えない場所で、サイコロを振って遊ぶ。これを作った神様も粋ですね～」

私は脱力して肩を落とした。

おそらくライカも先にこんな話を聞かされていたのだろう。

「神様のゲームだから壮大なものかと思ったけど、地味だ。神秘性のカケラもない」

割とどこでもできるやつだ。

「そんなことないであろう。神が遊ぶための場所であるのだから神秘的である。だいたい、神が秘密にしているのだから文字どおり、神秘的でなければおかしい」

「ニンタンが言いたいことはわかるけど、あなたたちに神秘性は感じないよ……」

ちょくちょく神と会ってる私を基準にしてもしょうがないのだけど。

「せっかくだから一緒に遊ぶのデース！」

デキさんの横には小さい箱（言うまでもなくテーブルに載るサイズ）がいくつも置かれてある。

「かなりの種類がありますよ～。古典的な名作から、新作まで取り揃えてます！　さあ、やりましょう、やりましょう！」

カエルから元の姿に戻ったメガーメガ神様も箱を見せてきた。

この世界に画面を見てやるゲームは存在しないので当たり前だが、テーブルにあるのは電源がいらないボードゲームの類だった。

ほぼ、ボードゲームの店だな……。

私はライカと顔を見合わせた。

「ど、どうする……？」

「せっかくですし……ファルファちゃんたちをあまり待たせないですむならやってもいいかと……」

「それなら問題はない。ここで一年遊んでも、元の世界では一分しか進んでないことにすることも、一秒しか経ってないことにすることも可能である。時間経過が異なるのでな」

「都合のいい設定！」

「失礼な！　長く遊びたい者には夢のような環境ではないか！」

ニンタンが反論してきた。そりゃ、ゲーマーにとったらそうだろうけど……。

「いや、待ってください。そのあたりのボードゲームは一通りやってしまいました。それに五人もいることですし――」

メガーメガ神様はボードゲームの箱を置いて、テーブルからまた何か探し出した。

持ってきたのは、一冊の分厚い本だった。

表紙に『オーソドックスファンタジーＲＰＧ』と書いてある。

「ＴＲＰＧをやりましょう！　私がゲームマスターをやります！」

異世界でＲＰＧするの⁉

ちなみにメガーメガ神様の言ったＴＲＰＧというのは、テーブルトークＲＰＧの略で、コンピューターを使わず、テーブルの上で多人数でキャラクターになりきるようにして遊ぶＲＰＧのことだ。

私はやったことはないが、そういうのをやっている動画を見たことはあるので概要はわかる。有名なのはクトゥルフのなんたらとか。

「よさそうデース。賛成しマース」

「そうじゃのう。勝ち負けの決まるゲームをやって、負けて悔しい思いをするよりはいいかもしれぬな」

ニンタンの発想がセコいが、とにかく神は全員ＴＲＰＧでいいらしい。

「アズサさんとライカさんは新規のキャラクターのメイキングをお願いしますね～」

「異世界でＲＰＧするって、入れ子構造っぽいな……」

「二十一世紀の日本でも同時代やちょっと過去や近未来を扱ったＲＰＧもあったじゃないですか～。不思議はないですよ」

もう、ライカはデキさんからサイコロを握らされていた。

「アズサ様、我はどういうゲームかわかってないのですが、やるだけやってみましょうか……」

これで帰りますっていうのも、空気を読んでないみたいだな。

「……わかった。やろうか」

こうして、私とライカは異世界で人生初のＴＲＰＧをすることになった。

職業などの基本的な設定はサイコロを振って決めていくらしい。

そんなおかしなものになることはないだろう。淡々とサイコロを転がす。

「ええと、私の職業は賢者か。あっ、もしかして上級職？」

「おおっ！　アズサさん、やっぱり持ってますね！　かなり強いですよ！　このゲームはそんなにキャラクターメイクに時間がかからないから楽でいいですね。長いのはそれだけで五時間ぐらいかかったりしますから」

メガーメガ神様が一番テンションが高い。

「え？　五時間って……。そんなにかかるものなんですか……？」

「かかりますよ～。なので、大学生だとか時間がある人でないと遊びづらいゲームもありますね。ガチにダンジョン探索するゲームなんかはとくに時間を食います。私はというと、三時間半程度で終わるシナリオが好みですね。それを続き物にして週に一回のペースで四回や五回で最終回になるようにすると、かなりの満足感があります。私は『シロクロ・クロス』っていう異能力バトルを遊ぶシステムが好きでしたね。ほら、炎使いだとか雷使いだとか、ちょっと中二臭くても一度はやってみたいじゃないですか。ああいうのって、さらわれたヒロインを助けるだとか、親友が黒幕で半妖(はんよう)になりかけているとか、ベタなシナリオのほうが燃えたりするんですよ」

「急に口数が多くなった！」

「あとは王道のファンタジーですが、ファンタジーのシステムもこつこつとダンジョンをクリアしていくようなタイプと、ドラマティックな展開を主体にしたタイプのものがありますね。後者タイプの『七万の要塞』は私、好きでしてね～、設定がインフレしてて毎回のように世界が滅ぶかどうかの瀬戸際になるんですよ～」

「神様が世界が滅ぶかどうかのゲームで楽しまないでほしい……」

「だからこそゲームでやるんですよ。ちょっと子供っぽいなと思うことを全力で演じると楽しいんですから！　さあ、とことんなりきってくださいね！」


なにはともあれ、サイコロを振っていくうちに機械的に私のキャラは決定した。

あとはダンジョンでボスの一体でも倒せばいいのだろう。

ただ、サイコロの出目の関係でちょっとしたアクシデントが起こった。

厳密に言うと、私ではなくてライカに起こった。

「お、お姉ちゃん、ゴブリンが奇襲してきたよ～。助けて～！」

私は少し演技がかった声で言った。まさに演技だし。

「ア、アズサ様、あまりお姉ちゃんと呼ばないでください……」

ライカは耳まで真っ赤（まか）になっている。頭から炎でも上がりそうだった。

「いや、だって、ライカが私の姉の女勇者っていう設定だし。女賢者リリィの姉である偉大な女勇者アルーシャだよ」

そう、ライカが振ったサイコロの設定で、ライカは三人目のプレイヤー（この場合、私）の姉ということが決まってしまったのだ。

「こらこら～、ライカさん、いえ、アルーシャさん、ダメですよ。ちゃんと演じてください。プレイヤー視点の発言をあまりやるのはダメですよ」

ゲームマスターのメガーメガ神様が言った。

「わ、わかりました！　てーい！　妹のリリィに手を出すな！　叩（たた）き斬（き）ってやる！」

「はい、アルーシャさん、サイコロを二つ振ってください」

攻撃も魔法もその他の行動も、ＴＲＰＧはだいたいサイコロを振って決める。ゲームによっては、複雑な形のサイコロを使うこともあるようだけど、このゲームはすごろくでも使うような六面のサイコロ二つでいいらしい。

ライカの振ったサイコロは両方とも1だった。

いわゆるファンブルという、一番ダメなやつである。

「おっとー。アルーシャさん、妹を守ろうとしたもののすべって転んで、そこをゴブリンに囲まれました。絶体絶命ですね～。いや～、これはおいしい失敗ですよ」

「おいしくなんてないです！　むしろピンチじゃないですか！」

「それがいいんです！　適度に失敗してくれないと面白くないですから！」

そのあと、僧侶のデキさんが死の魔法をゴブリンたちにかけて全滅させたけど、ライカの演じる勇者はなかなかのポンコツぶりを見せてくれた。

意図的にポンコツキャラを演じているというのではなく、サイコロに従っているだけなわけだけど――本人に似合わない役回りをあえてやらないといけないというところが、なかなか面白いな。

「そうですよ、アズサさん。これがＴＲＰＧの醍醐味と言っていいでしょう」

「心の声を読まないでください」

「賢者さん、息が乱れているようですが、回復魔法をかけましょうか？」

この発言は意外にもデキさんである。

幼い頃に神殿で拾われ、そのまま僧侶となった堅物の青年という設定だ。その設定のとおりにしゃべるのでかなり違和感がある……。

「あ、いや、いい。気にしないで」

「これが物語だと、『気にしないで』と言った者は必ず何か問題を抱えておるのだがのう」

そう、商人役のニンタンが言った。

「ちょっと！　そこの商人さん！　プレイヤー視点のセリフはダメと言ったでしょう！　キャラクター視点で商人として語ってください！」

「いちいち注意してくるでないわ！　高圧的なゲームマスターは嫌われるぞ！」

メガーメガ神様とニンタンって、常にケンカしてるな。

それから先も私は、姉の女勇者を頼る女賢者という自分の役回りを演じた。

「お姉ちゃん、助けてー、助けてー！　サイクロプスが攻めてきたよ！」

「アズサ様、わざと我をお姉ちゃんと呼んでいませんか……？」

「そういうキャラだからしょうがないでしょ。それにプレイヤー視点の発言はダメらしいよ。アズサって呼ぶのもよくないよ」

「う、うぅ……。わ、わかった、リリィ……あ、あなたは、離れてなさい……」

言い終わったあと、ライカは両手で顔を覆(おお)っていた。


「これは、我にとっては拷問そのものです！」

もしかすると、ライカはお姉さん子で、自分が姉として振る舞うことにとことん慣れてないのかも。ライカに妹も弟もいなかったしね。女学院ではお姉様として慕われていた気がするけど、だからってそういうのが平気かはまた別だろうし。

「勇者さん、どうかしましたか？　悩み事なら僧侶の僕がいくらでもうかがいますよ」

デキさんは役になりきっていて、それはそれで変だった。

というか、「大変デース！」みたいなしゃべり方以外もできるんだな……。


体感時間で三時間半ほどで、最後はパーティーが力を合わせてダンジョンにいるボスを倒しました。

おそらくちょうどだれない程度の時間で終わる話をメガーメガ神様は設定したのだろう。そういうところは、そつがない。

メガーメガ神様が「これにて、シナリオ終了となります！」と言うと、私たちプレイヤーも「お疲れ様～」「ご苦労であった」などとねぎらいの言葉をかけた。

「なんだかんだで面白いもんだね」

私はすっかり満足していた。終わったあとは参加者同士で感想を言い合うものらしい。メガーメガ神様いわく、感想戦と呼ぶそうだ。一般的にそういうものなのか、メガーメガ神様周辺でのローカルルールなのかは不明。

「でしょう。アナログな感じがいいんですよ。ＶＲ世界で美少女アバターで遊ぶのとはまた違う楽しみがあるじゃないですか」

私にしかわからない表現を多用するのはやめてほしい。しかも、私も詳細がよくわからない。

「それに、この会場は落ち着けていいですね。シンプルイズベストというか、ゲームだけに集中できます」

そういや、この空間、テーブルとソファー（あとゲームの箱の山）しかないから、ゲームしかやれることないな。

「なにせ古い場所であるからのう。朕ももはやどの神がいつ作ったものなのかわからぬほどよ」

そんな来歴不明の空間をよく会場にできるなと思うが、神にとったら怖がる理由にもならないのだろうか。こんな場所、神様ぐらいしか作れないしな。

「じゃあ、私とライカはそろそろ元の世界に戻るよ」

箱の翁の中に入った一秒後に出ていくこともできるらしいけど、体感時間としてはみんなを待たせているような気になっている。

それにもう一度ゲームをやって、ライカがまた恥ずかしがる役になったら、体調を崩しそうだしね。苦い思い出になってもよくない。

ライカが「お疲れ様でした」とあいさつをしたと思った次の瞬間には――

私たちは箱の翁の前に立っていた。

「あっちに行った時も唐突だったけど、出る時も唐突だな」

真相はモノリスではなくて、神の作った特異なゲーム用空間だったというわけだけど、これはモノリスのみんなには伝えないでおくのが華というものだろう。

その時、私が見上げていた箱の翁にこんな文字が表示された。

『楽しかったですか、アズサさん、ライカさん。神様たちも意外なゲストで喜んでいましたよ。これからも私の子供のようなモノリスたちをよろしく』

あれ……？　この表示ってまるで箱の翁が生きていることを前提にしてるような……。

「あの、アズサ様……これは……」

ライカも気づいているらしい。

「そういえば、神の皆さんも遊び場として使っているこの場所を、いつ誰が作ったかまでは言っていませんでしたよね……」

うん、そうなのだ。モノリスも箱の翁もとてつもなく昔から存在しているとは言われたが、どの神がどういう意図で作ったものかまでは不明のままだった。

『それと、箱の翁の私もよろしく』

その文字が一瞬、表示された。

つまり、箱の翁はやっぱり箱の翁だったということか。

「ライカ、話が大きくなるかもしれないし……ひとまず今日のことは黙っておくってことで……」

「ですね……。私もまだ気が動転していますし……」

後ろを振り返ると、モー８５２０９がこんな表示を出していた。

『どうやら、箱の翁からは反応がないみたいだな。諦めてくれ。そういうものなんだ。たまに俺たちを教え導いてはくれるんだけどな』

ああ、モー８５２０９には箱の翁の文字は見えてなかったようだ。

世の中にはなんだかんだでまだまだ不思議があるということを実感しました。

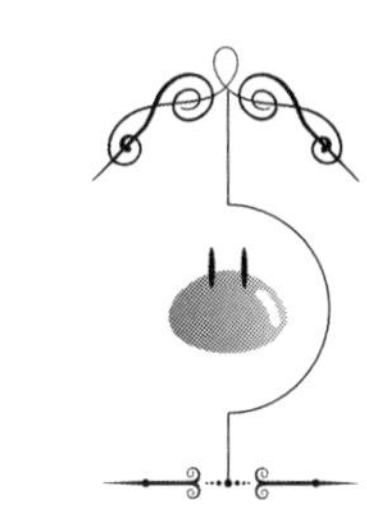

スライムがいない砂漠へ行った

She continued destroy slime for 300 years

その日は、フラットルテと一緒にフラタ村の冒険者ギルドに寄った。

「すみませーん、ナタリーさーん。魔法石を換金してほしいんですけどー」

私はギルドの扉を開けっぱなしにしながら、言った。

「はい、もちろん、どうぞ――」

ナタリーさんの笑顔もすぐに凍りついた。

私が開けたままにしていた扉から、ものすごく巨大な木の箱を抱えたフラットルテが入ってきたからだ。凍りついたといってもフラットルテのコールドブレスのせいではない。


「これが全部魔法石なのだ。よろしく頼むのだ！」

フラットルテが箱を床に置くと、ドシンと軽くギルドが揺れたような気がした。

魔法石ということは、つまるところ石なので、相当な重さになる。ドラゴンでなければ運べなかったと思う。

多分私でも運べなくはないけど、大変だから何度かに分けただろうな……。フラットルテは大変そうなことはかえって力比べのカテゴリーに入るらしく、率先してやるのだ。

もっとも、今回の場合はどっちみち本来フラットルテがやる仕事なのだけど。

「換金はギルドの仕事だから大丈夫ですけど……なんでこんなに……？　誰か冒険者にでもなったんですか？」

「フラットルテ様が暇つぶしにモンスターが出没する山に行って、一日中戦い続けたのだ！　いい運動になったぞ！」

自慢げにフラットルテは腰に手を当てて胸を張っている。

「まあ、フラットルテが言ったことがすべてで、急に戦いに行きたくなったんだって。それで、魔法石が詰まった箱を持って戻ってきたの」

それ以上の理由は不要だ。人間、なぜかイライラする日だってある。

似たように、なぜか血がたぎってたまらない日もあるのだ。

……本当にあるのかな？

私にはあまり経験がないけど、中にはある人もいるんじゃないだろうか。

とにかく、フラットルテは思う存分戦ったらしい。戻ってきた翌日は昼前まで寝ていた。いろいろと極端な子だ。

「そういや、いつもと違って、スライムの魔法石があまり入ってないですね。このへんに出現しない大型モンスターのものも多いです」

普段の私はスライムしか倒してないからね。

「近くでは強いモンスターがいなくて張り合いがないのだ。もっと、強い奴が出てきてほしいのだ！」

そんなことになると、フラタ村が崩壊の危機に瀕するからやめてほしい。村がのどかなのは（近年、ずいぶんおかしなことになってきている気もするが）周辺に現れるのがスライムだとか弱小モンスターばかりなおかげなのだ。

「これは数えるのに時間がかかるので、数日後に来ていただいた時にお金を渡すのでもいいですか？　おそらく三十万ゴールドはくだらないと思います」

「フラットルテ様はかまわないのだ。三十万でも三万でも好きな額をくれ！」

「いえ、さすがに十分の一の額しか支払わなかったのがバレるとクビになりますので、そこは真面目に支払います！」

本職の冒険者はこれが商売だから、魔法石の金額にもこだわりそうだが、フラットルテはまったく気にしてない。体を動かすことが目的で、魔法石は本当におまけなんだろう。

「あっ、高原の魔女様の顔を見て思い出したんですが、不思議な依頼が来てるんですよ」

私はナタリーさんに背を向ける。

「嫌な予感がするので、帰ります！」

「あっ！　ぜひ受けてくれなんて話ではないです！　茶飲み話みたいなものです！」

そう言われて思いとどまった。

このあたり慎重にやらないと、ステータスが無駄に高いので、便利で都合のいい人として使われてしまうのだ。

「依頼内容を話す前に地図を見ていただいたほうが早いですかね」

ナタリーさんは大きめの地図を出した。これはこの地域のものではなくて、世界地図クラスだな。

「この地図のずっと、ずっと、ず～～～っと南にシャレにならないほど暑い土地があるんです。しかも年中、暑いです」

「聞いただけで気持ちが沈んでくるのだ……」

ブルードラゴンのフラットルテは涼しいほうが好きだ。

ナタリーさんはここからはるか彼方の砂漠地帯に指を置いた。

「この、ナムハドという土地のあたりで、遠方から偶然来た人がとあることに気づいたそうです」

「ほう、それは？」


「ナムハドではスライムをほとんど見かけないらしいんです」


「…………はあ、なるほど」

リアクションに困った。それがどうしたんだろうという気持ちだ。

「それがどうしたのだ？　どうでもいいだろ」

実際、フラットルテが同じことを言った。

「いえいえ、考えてみると不思議なんですよ！　スライムというのは本当にどこにでもいるモンスターなんです。詳しくは知らないですけど、魔族の土地にも当然のようにいますよね」

ブッスラーさんの道場のことが頭に浮かんだ。

「うん。いるよ。珍しくもないよ」

「そんなわけでスライムは全世界にいると考えられてきました。ナムハドという土地でも一匹もいないというわけではなくて、たまに見ることはあるそうなんですが、それでもそのへんにごろごろいるということはないそうなんです。不思議ですよね」

「でも、スライムの数が少ない土地ぐらいあるでしょ。それだけの話でしょ」

この世界は広いのだ。その地域はスライムが昔からいないだけだろう。

「それがナムハドから少し離れると、またスライムがごく普通にいるんですよ。ナムハドのあたりでだけやけに少ないんです。不思議ですよね⁉」

「不思議なのかもしれないが、さほど関心は持てない」

ノリが悪くて申し訳ないが、たかだかスライムの話だしね。

「それで、学術的に理由を解明しようとした大学もいまだ答えがわからず。ついには原因究明できたら報奨金を出しますという依頼までギルドに出してきたというわけです」

「そっか。お疲れ様です」

「……高原の魔女様、今日はやけに淡泊ですね」

「しょうがないよ……。とくに興味のないことだし、スライムの研究者でもないし、緊急事態でもないじゃん」

未確認飛行クリーチャーの時みたいに、こだわってる人はいるのかもしれないが、私にとっては他人事よりどうでもいいスライム事なんだよなあ。

それと、興味があまりないことに対して、興味があるって言うのは相手をぬか喜びさせるリスクもあるから、やりたくないというのもある。

中には、たいして興味がないことにでもすぐに話を合わせて「へー！　私も気になります～！」などと言う人もいる。

あれ、リップサービスなのかもしれないけど、それを聞いてやけに期待しちゃう人もいるんだよね。人を無駄にがっかりさせることがあるので自分の中では気をつけてます。

というわけで、ナムハドという土地にスライムが少ないという話題にも、私はあまり食いつかないことにした。

仕方ない。スライムをこつこつ倒してきたことと、スライムの秘密を知りたいという気持ちがあるかどうかは、全然別だ。

「わかりました。茶飲み話と言ったのはこちらですし、話題を変えますね」

「うん、ナタリーさん、ごめんね」

「じゃあ、話題を変えて、近頃(ちかごろ)のギルドの愚痴を」

げっ！　もっと聞きたくなかった！

◇

そんなわけでスライムが少ない土地があるという話は、とくに盛り上がることもなく終わった。

とはいえ、我が家にはスライムの精霊が二人もいるので、夕飯の時間に話はした。

二人はスライムそのものではないけど、スライムとの接点ははるかに強い。なにかしら興味があるかもと思ったのだ。

食いついてきた家族はいた。

ただ、スライムの精霊のファルファとシャルシャではない。スライムの精霊だからといって、スライムを研究しているわけではない。

ハルカラだ。


「いいですね、ナムハドですか。ものすごく暑いことで有名な土地ですよね～」


「ハルカラ、スライムのことが気になるんだ。なんか意外だ」

ハルカラがスライムのことに興味があるだなんて聞いたことがない。

「いえいえ。スライムはどうでもいいんです。でも、遠方の土地は独自の薬の文化なんかもあったりするし、行ってみるのも悪くないなと思っただけです」

ああ、目的は薬のほうか。

「ナムハドなんて歩いて行ったら、気が遠くなるような遠方の土地じゃないですか。私も一度も行ったことがありません。ですが、だからこそ、何かのついでに行けたらうれしいなと思います」

「ハルカラ、そのあたり、ポジティブな考え方をするよね」

「わたし、一人でハルカラ製薬をやってた時代も、営業のために各地に足を延ばしてましたからね～。メインは仕事ですけど、仕事のついでに観光したり、その土地のおいしいものを探したりってことはしてたんですよ」

たしかに目的がないと絶対行かなそうな土地に、ふらっと行ってみるのもいいかも。

ひたすら暑い土地に行って、暑かった～と土産話をするのも悪くないんじゃなかろうか。

それからハルカラはこう続けた。

「というわけで、ライカさん、よかったら今度ナムハドまで連れていってくれませんか？」

ああ、ハルカラは話題に上がったからというぐらいで、そこに行ってみようという積極性を持ってるのだ。

たしかにきっかけがないと行かないような場所だし、そのきっかけがこれなのかな。

「はい。我は問題ありません。ハルカラさんのお仕事の都合さえあえば――」

「私も行く！」

私は前のめりになって手を挙げた。

「ご主人様、砂漠のスライムにはあまり興味ないんじゃなかったんですか？」

フラットルテが不思議そうな顔をした。たしかに矛盾してるかもしれない。

「うん、スライムは割とどうでもいいんだけど、遠いところに行くのが目的ならいいかもなって思ってね」

砂漠なんてそうそう行くこともないし。

そうだ、冒険者ギルドで依頼も出ているわけだし、あの子も誘うか。

しばらく後、私はドラゴン形態のライカに乗って旅に出た。

なかなかの長旅だ。

ちなみにライカに乗っているのは、私とハルカラとシローナ。

久しぶりにシローナと旅ができればそれもいいなと思ったのもあるし、冒険者のシローナがこのスライムの謎を解ければ、シローナの株も上がるかなと考えたのだ。

うん、考えはしたんだけど――

「義理のお母様、スライムのことを気にするほど冒険者たちも暇ではないですよ。それ、難しい謎なんじゃなくて、たんに冒険者がどうでもいいと思っているから長らく未解決なだけなんじゃないでしょうか」

移動中、早速否定された！

「冒険者にとっても、そんな扱いなんだ……。むしろ、不思議だなんて言ってたの、ギルドのナタリーさんだけじゃん……」

「スライムが多かろうと少なかろうと関係ありませんからね。まだ、増えすぎて困ってるっていいうならわかりますが、ナムハドのあたりにスライムが少ないからって、それで困る人すらいませんよね」

「……そのとおりだと思うから、別に違う意見はないよ」

ギルド職員の反応と、冒険者の反応はまた別ということを覚えておこう。

「まあまあ。ナムハドなんて砂漠しかないような土地、行くこともないでしょうから楽しみましょう！」

ハルカラがシローナをなだめてくれた。

「そうですね。砂漠しかないらしいから行こうと思ったこともないです。こんなことがなければ行かなかったでしょうし。行く理由がなさすぎて、逆にこんな機会しか行かなそうと思って来ました」

「ですよね。暑いだけで面白いものもないってことで有名な場所ですし、本当に何もないことを実感しにいくのもいいじゃないですか」

みんな、行く場所をボロカスに言っている……。

それぐらい誰も行かないようなところなのだ。

とはいえ、だからこそ、ついでに行こうと思ったわけでもある。このあたりややこしい。

「ちなみにライカはこのへん、行ったことある？」

「目的が何もないのでありません」

どうやら、つまんないことを実感するためだけに行くという状況になっている。

できれば、「何もないと言われてたけど、けっこう面白かった！」という感想を抱ける結果になればいいな……。本当につまんなかったら、やっぱり嫌だしな……。

「それと、我はナムハドまで直接行かずに手前のほうで降りるということでよろしいんですね」

「うん。いきなり目的地に直行というのも味気ないからね。ハルカラと話し合って決めた」

私たちはナムハドから歩いて五日ほどの砂漠の入り口からスタートすることにしていた。

とはいえ、私たちの足なら五日もかからないだろう。早ければ三日ぐらいで到着できるかな。

「そうです、そうです。旅というのは、だらだらとやるのもいいものですよ。何もないことを実感しましょう！」

ハルカラが元気よく言ったが、何かはあってほしい。

◇

そして、私たちは砂漠の入り口の集落に来た。

私たちの前にはずっと砂漠が続いている。

そして、土を容赦なく焼く太陽！

「うわあ。いい天気ですね！　ドラゴンになって虫干ししたいぐらいです！」

ライカは気持ちよさそうだが――

ほかのメンバーは歩く前から汗をかきまくっていた。

「きつい……。すでに倒れそう……。じめじめした洞窟(どうくつ)を潜るよりきつい……。史上最低のクエス

「エルフ視点で見ても、嫌なところですね……。これじゃ、流刑先の土地ですよ……」

「元気なんて出るわけないです……。これじゃ、元気出して行ってみよう」

「ほら、この暑さを体感するために来たようなものだし……元気出して行ってみよう」

「元気なんて出るわけないです……。冒険者は探検家じゃないんですよ……」

よたよたとシローナが砂漠に向かって歩き出した。腹を決めたらしい。ここでやっぱり帰ると言われるとまずかったので、そうならなくてよかった。

「ナムハドのあたりはもっと暑いらしいですね。砂漠の中でも一番だとか……」

さらっとシローナが言った。

ハルカラが青い顔をしていた。

「あの、中止にしませんか……？」

「ほ、ほら！　砂漠なんてなかなか来られないしさ。行こう、行こう！」

こうして、砂漠を横断する旅がはじまった。

旅の開始直後、目の前の地面がむくむく動いた。

「なんだろ。砂漠ならではのモンスター？」

スライムが飛び出してきた。

「こんなところにもいるのか！　本当にどこにでもいるんだな！」

しかも砂漠ならではの違いがあるような様子もない。高原の家のあたりで見るのと同じだ。

「アズサ様、スライムはこのあたりの砂漠ではまだまだ一般的なようです。数が減るのはナムハド近辺だけだとか」

ライカがスライムにパンチを喰(く)らわせながら言った。もちろん魔法石になる。

これが一般の冒険者なら荷物が重くなるから取らないだろうけど、ライカにとったら何も問題がないので、皮袋に入れた。

「さて、サクサク行こう！」

ただ、ハルカラが立ち止まっていた。

「あの、もうノドが渇いたので、水分補給します。ちょっとお待ちを。うう、お湯みたいになってる……」

ハルカラは水筒から水を飲んでいた。歩いて二分ぐらいなんだけどな……。大丈夫かな……。


私たちは砂漠を進む。

砂ばっかりで道がわかりづらいけど、そういうものなので我慢して進む。

「生物が全然いませんね。それだけ灼熱(しゃくねつ)ということでしょうか」

火山のそばに住んでいて、火山の内側に温泉まで作っているレッドドラゴンのライカは当然ながらぴんぴんしている。

「生物はたくさんいるんですよ。ただし、お昼の地上にはなかなか出てこないですが」

シローナが地面の下を指差した。

「大半の生物は暑い時間帯は地下で待機してるんです。それで日が暮れるとぞろぞろ出てきたりするわけです。モグラやそれに近い仲間がたくさん棲息していますよ」

「へえ。さすが冒険者だね。そういうの、詳しいんだね」

「な、なんです、義理のお母様……褒めても何も出ませんよ……」

褒めると割とあっさりシローナは喜んでくれる。ただ、あっさりそれを認めてくれるわけではないところがややこしいんだけど。

ファルファとシャルシャ、それにサンドラも褒めて伸ばすようにしているので、シローナも例外なく、褒めていきたい。

「あとは、砂漠といえば、水が蒸発するのを防ぐために独特の形状になってる植物がありますね」

シローナが砂漠の奥のほうを指差した。

そこには、いわゆるサボテンがあった。

「あっ！　あれは薬効抜群のケンコウサボテンじゃないですか！　こうして生えてるのを見るのは初めてです！」

ハルカラのテンションが上がった。やっぱりエルフだけに植物を見るとうれしいらしい。

「まさにこういう植物を目にするために、砂漠まで来たようなものですからね！　早速、調べてきます！」

砂をかき分けながらハルカラが進む。

「あの、あんまり焦ると危ないですよ……。砂に足を取られて転びますよ……」

はしゃいでいるハルカラをシローナが諌めた。

「なあに、ご心配なく！　こけたところで、砂ばかりだからダメージなんてないですよ！　ちっとも問題ないです！」

ハルカラが調子に乗っている。

ものすごく嫌な予感がした。

そういえば、サボテンって針がたくさん生えていたような……。

「ハルカラ、本当に気をつけたほうがいいよ！　少なくとも、サボテンに近づいてからは慎重に！」

「お師匠様、もしかしてサボテンの針が危ないって思ってますか？　それぐらい、わたしも把握済みです！」

あっ、ちゃんとわかっているんだ。

そして、ハルカラはサボテンに近づいて――

砂に足を取られて転んで――

針だらけのサボテンに全身でぶつかった。

「いたたたたたたたたたたた！　たたたたたたたたたたた！」


「把握してるけど、結局刺さるんかい！」


知らずに刺さるよりよっぽどタチが悪い！

「いたたたたたた！　でも、針が体のいいところに刺さって健康になってるような気もします！

相殺されます！」

針治療かよ！

「そんな余裕はなさそうなほど刺さりまくってるよ！」

「義理のお母様、ケンコウサボテンの針は人の体の様々な部分を活性化するんです」

「薬効って樹液とかじゃなくて、針のほうかい！」

てっきり、アロエみたいに液をすり込むと効くだとかいったものだと思ってたが、違っていたらしい。

「なかでも胃腸が強くなります。食欲不振な人が大食い大会に出られるぐらい変わります」

「よく効くみたいだけど、食欲不振な人は大食い大会に出ちゃダメだろ」

その行為自体が健康に悪い。

とりあえず、ハルカラは無事だったようなので、よかった。

ただ、しばらく針が体の至るところに刺さっていて、かなり怖かったけど。

「いやあ、体から老廃物が抜けてるような気がしますよ～」

「ハルカラ、こっちに倒れてこないでね……」

私にも刺さりそうで怖いので、距離を空けた。

それからも私は砂漠を進んだ。

その日は、砂漠の真ん中にぽつんとある宿で一泊した。

こんなところにあって需要があるのかなと思ったが、中継地点として商人たちが使うらしい。それと途中で体調を壊した人の緊急避難場所の意味合いもあるそうだ。

「こういう場所でも人の営みがあるんですね。我ももっと見聞を広めなければ」

ライカは相変わらず殊勝なことを言っていた。

もっとも、異文化体験ができて面白いという点では私も同じだ。

宿には商人が乗っていたラクダもたくさんつながれている。

私とハルカラは宿で飼われているラクダに少し乗せてもらった。

ただ、食事のほうはそんな豪華なものはなかった。大半が乾燥させたものと、漬物みたいな発酵食品だ。これは運ぶコストを考えるとやむをえない。山の上のロッジみたいなものだろう。

とくに水は貴重品なので、そんなにがぶがぶは飲めない。

「ううむ、ノドが渇いてるけど、やむをえませんね……」

とくに汗をかいていたハルカラは食事で出た水が少なくてがっかりしていた。

「まあ、本当に水分不足でまずそうだったら、私が水を分けてあげるよ……」

ハルカラほどの疲労はないし。このあたりは知らないうちに強くなっていてよかったと思う。

なお、一番ぴんぴんしているのはライカだ。暑い土地で暮らしてきたから、そんなに水分が出ないようになっているんだろう。


夕飯を食べ終わった頃には、すっかり夜になっていた。

しかし、月明かりのおかげでそこそこ明るい。

「よし、夜の散歩としゃれこみますかね」

シローナが席を立った。最初から決めていたようだ。

「砂漠って夜だと涼しいんだよね。じゃあ、私もついていくよ」

結局、みんなで外に出ることにした。

そして外出して、すぐにそれに気づいた。


「スライムがそこそこいる！」


ぴょんぴょんスライムが砂の上を跳ねているのだ。

「アズサ様、このスライムたちは暑い昼を避けて、涼しくなってから活動しているようですね。一般的なスライムもそれぐらいの知能はあるのですね」

ライカは勉強になったという顔をしている。

突然変異なのか、やけに賢いスライムも私たちは知っているが、あれはあくまでも例外だからね。

おそらく十億のスライムがいたら、そのうち一体ぐらいの確率だと思う。

「ライカさんの言うように知能があるのかはわからないですが、本能的に涼しい時間を選んでいるということは確実かと。スライムもあまり暑いのは嫌なんでしょう」

シローナはささささっと何かメモみたいなものをつけていた。

「そして、このあたりはまだスライムがいくらでもいるようですね」

「だね。うじゃうじゃいる」

この調子だとナムハドでもけっこうスライムがいましたってオチになりそうで怖いな。

単純に土に潜っていたので気づかれてないなんてことじゃないのか？

私たちのメインの目的は砂漠の観光なのだけど、冒険者のシローナも連れてきたことだし、どうせならナムハドという砂漠の街周辺でスライムが少ない理由もちょっとでも解明したい。

しかし、ナムハドの人たちがスライムが少ないと思い込んでるだけだったとしたら、そもそも肩すかしを喰らうことになる。

ハルカラはかがみながらスライムを観察している。

スライムはぴょんぴょん跳ねている。

「ここにもスライムがいるってことは、砂漠だからいないってわけではないんですね～。むしろ、高原の家あたりにいるスライムより元気な気さえしますよ」

シローナが一体のスライムをつかんだ。

「土の中にいたのか、ひんやりしてますね」

まあ、砂漠にまったくスライムがいないなら、「スライムは砂漠には棲息していない」という結論がとっとと出ていただろう。

「まっ、いずれスライムがいないというナムハドに着きますし、何か違いがないか注意しておきましょう。冒険者としてポイントを稼げればうれしいですが、得られるものがなくても、それはそれ

でいいです」

シローナも以前に冒険者たちの大会に出た時と比べるとのんびりしている気がした。

「成果がなくても、あんまり文句言わないでね……？」

「大丈夫です、義理のお母様、最初からこの旅にはたいして期待してません」

「気は楽になるけど、それはそれで複雑だ……」

シローナはスライムを放すと、首のあたりを少し左手でかいた。

「どうでもいい旅もたまにははさんだほうがいい、そう考えるようになったということです。義理のお母様の生活を見ていると、そういうところも取り入れていってあげてもいいかなと」

「褒められているみたいだけど、だいぶ上から目線」

いや、これはシローナが照れているせいなんだ。うん、そう考えることにしよう。

「それより、そろそろ出てくるはずなんですがね」

「出てくる？　いったい何が？」

「当然、スライム以外にも砂漠に棲(す)んでいるものはいますよ」

足下の土がもぞもぞと動いた。

そこから手のひらぐらいの白いネズミみたいな生物が出てきた。

「わっ！　本当に地面の下に何かいるんだ！」

「来たーっ！　サバクシロネズミです！　来た来た来たー！」

突然、シローナが大声を上げた。

そして、すぐさまそのサバクシロネズミと呼ばれた動物を手でキャッチしていた。

このあたりの動きは熟練冒険者だけあって手慣れている。

サバクシロネズミも逃げられなかったらしい。

「うわー！　やっぱり本物をこの目で見ると違いますねー！　背中だけほんのりピンク色なんですが、それはそれでかわいいです！　なかなか地上に上がってこないのに、ちっとも土で汚れてない白い体なんですよ！　いいもの見れました！」

ああ……シローナが来てくれた主な理由って、これだったのか。

砂漠に出没する白い動物を見たかったんだな……。

「連れて帰りたいですが、私の屋敷ではあまりに環境が違いすぎて、飼うのは難しいかもしれません。ここは断腸の思いで諦めます」

だったらシロクマ大公も環境が違うのではと思ったが、日本の動物園にもシロクマはいたので、大丈夫なのだろう。

そのあと、サバクシロネズミと戯れているシローナ一人を残して私たちは宿に戻りました。

◇

翌日も砂漠を旅し、途中の宿に泊まった。

その翌日も同じように砂漠を歩いて、途中の宿に泊まった。

最初は砂漠の移動も新鮮だったのだけど――三日もするとすっかり飽きた。

「景色が変わらないんだもんね……。そりゃ、飽きもするよね……」

ループしているのかというほど、違いというものがない。

私は宿に着くと、共用スペースのフロント横の席に腰を下ろした。

疲労感というより、だるさがある。

「お師匠様、明日にはナムハドに着きますよ～。このあたりだと一番大きな都市ですし、それまでの我慢です。それに――」

ハルカラはやたら大きなコップを持っていた。

「――この宿は水が豊富ですしね！　やっぱり水は美味い！　ちょっと苦い味がする気もしますが、美味い！」

フロント横にはずらっと液体の入ったコップが並んでいる。水が貴重なこの土地では気前がいい。

もっとも、世の中、そんなに甘くはない。こんな注意書きがあった。

「うわ……。ハルカラ、大丈夫なの……？　衛生面で問題ありそうだよ……」

「それなら大丈夫です。ちなみに今回は根拠があります」

ということは、普段はそこそこ根拠なく大丈夫と言っているということか。そこは話の腰を折るから不問にしよう。

「その根拠は針です！」

ハルカラの指と指の間に小さな細いものがはさまれている。

「ケンコウサボテンの針に刺さりまくってから、胃腸の調子が最高なんです。多少、泥が入っていようとおなかを壊すことはないです！」

ご自由にお飲みください

いつのまにか、桶にたまっていた水です。
たまにおなかが痛くなる人がいますが、
責任は持ちません。

※ナムハドの
オアシスの水も販売中！

一杯五百ゴールド

「大丈夫と断言するにはいささか弱い理由だと思うけど、もう飲んじゃってるし、脱水症状になるのも危ないいし、いいのかな……」

宿代をまとめて払っていたシローナがこっちにやってきた。

「どうやら、このあたりの土地では日中に桶を置いていると、知らないうちに水がたまっているという現象がよくあるそうですね。ただ、その水を飲むとおなかを壊す人もそこそこいるとか。一種の賭けみたいな水ですね」

「それってどういう現象なの？　この土地だと何もない桶に水がたまるってこと……？」

話だけ聞くと奇跡としか言いようがない。

「広い世界、そんな土地もあるんじゃないですか。それに飲まなきゃいいんです。私はちゃんとした水を買って飲みますから」

たしかにナムハドにあるオアシスから汲んできた水がごく普通に売られている。謎の水を絶対飲まないといけないわけじゃない。

「おそらく現地の人たちも、由来がはっきりした水を飲みたいという方が多くいるのでしょうね。なので、有料の水と無料の水があるんでしょう」

ライカの説明のとおりだろう。おなかを壊すリスクも地元の人ははっきり知っているのだ。

ハルカラ以外は水を買って飲んだ。


翌日の昼前。

私たちは無事に砂漠の中のオアシス都市であるナムハドの入り口に着いた。

「いやあ、都市の手前に来ただけなのにこの活気ってことは、なかなか大きい町みたいだね」

そう、ナムハドの中心部分である城門の外側にもたくさんの市場や建物が並んでいるのだ。

「まあ、このあたりだとほかにまともな町がないですからね。ここの城門は防衛のためというより、砂漠の砂が街に入るのを防ぐためのものでしょう」

「シローナは地理に詳しいよね」

「うっ……そんな雑な褒め方は……ちっともうれしくないですよ……」

いやいや、それなりにうれしそうにしてるのわかるぞ。これはどんなに鈍感な人でもわかる。これからもどんどん褒めていくぞ。

「砂漠の地方の薬は気になりますね～。しっかり買いだめして、研究したいです！」

ハルカラも立派なことを言っている。

旅の目的も複数あるならそのほうがいいよね。目的が一つ空振りでもリカバーしやすくなるというか。

そして、ハルカラが元気ということは――

「ハルカラ、あの謎の水を飲んでもなんともなかったんだね」

てっきり夜中に腹痛で目覚めたりするんじゃないかと疑っていた。

「大丈夫ですって～。少しの程度、水が悪いぐらいなら我慢できます。お酒で消毒できますから――なんちゃって」

「ハルカラの場合、お酒で消毒するというより、お酒ごと悪い水も吐いちゃって無事ってことのほうが多そうだけど……無事ならそれはなによりだよ」

あと、ハルカラは完全に薬のことを考えているみたいだが、それ以外のところもチェックしてほしい。

「もし、スライムがいたら教えてね。せっかくだし、何かわかるならそのほうがいいし」

もっとも、スライムが少ないことが問題（？）になっているのだから、すぐには見つからないだろうけど。

「あっ、アズサ様、スライムがいました！」

「ライカ、発見早い！」

「ほら、市場のテントの陰になっているあそこにいます！　青いスライムが一匹います！」

「え、どこ……？　ライカって目がいいね……」

ライカがそのテントのほうに向かっていく。見間違いではないかというぐらいには距離があった。

正解だとしたら、本当に視力がいいな。ドラゴンは遠くのものを見るほうが得意なんだろうか。

私たちもライカを追う。

たしかにテントの陰にスライムがいた。

「すごいよ、ライカ！　なんだ、ちゃんとスライム、いるじゃん」

私はそのスライムのほうに寄っていった。

ただ、その時、少し違和感があった。

普通のスライムってもっと丸々している気がするんだけど、そのスライムはべっとりしているというか。

私が近づいたことでびっくりしたのか、そのスライムは、ぴょーんと横にジャンプした。

陰から太陽が照りつけるほうに。

地面の砂も熱せられてかなり暑そうだ。

そして、次の瞬間、それは起こった。

じゅう……というような音をたてて――

地面に着地したスライムが溶けた！

「蒸発した⁉　蒸発したの⁉」

その溶けたスライムの跡には、スライムのものとおぼしき小さな魔法石が転がっている。

けれど、本来のスライムの魔法石よりかなり小さい。最初から崩れてボロボロになっている。

シローナが調査報告用のメモみたいなものをさらさらと書きだした。

「どうやら熱にやられたようですね。ナムハドは世界で最も暑い都市だとも言われてますから、暑すぎてスライムは生存に適さないのでしょう。魔法石も固体の時にやられたものよりずっと小さいので砂にまぎれてわからなくなりそうですね」

「だとすると、ナムハドでスライムが少ないっていうのは本当なのか……」

「なるほど……。我たちが出発した砂漠は、まだナムハドよりは気温が低かったですからね。そこからナムハドに到着するまでの間に、スライムが活動できる限界の温度の壁があったのでしょう。

それならナムハドのあたりだけスライムがいない説明もつきます。溶けてやられてしまったわけですね」

賢いライカがさっと状況を補足した。それで正しいと思うので、私からはそれ以上とくに言うことはない。

――そのつもりだった。

ふと、昨日の宿の光景が頭に浮かんだ。

「あのさ、ライカ……一点だけ厳密には違うかもしれない……。杞憂かもだけど」

「アズサ様、どういうことですか？」

「スライムが熱で蒸発するところまでいっちゃえば、それはやられたってことで確実だと思う。でも……液体になっただけではまだ生きてたりしないかな……？　液体になった段階ではまだ生きてて、さらに暑くなると蒸発して死んじゃうの」

「そうですね。固体なら気体になる前にまず液体になりますが。今のスライムも高熱の砂の上に飛んだせいでやられただけで、日陰でなら生きていましたし」

「それで、液体の時に涼しくなったら、また固体に戻って復活したりとか。ほら、スライムって元々、ぷよぷよした水分みたいなモンスターでしょ。完全な液体の時は一種の仮死状態なんだよ」

「義理のお母様、不思議な仮説を立てますね。何かそう思った理由でもあるんですか？」

シローナは若干あきれ気味に私に聞いてきた。

「たとえば……暑くなると、照りつけた地面よりは涼しい桶の中に入って……そこで夜になって涼しくなるのを待ったりするスライムがいたりしないかなって……」

そう、昨日の宿の「いつのまにか桶に入っているという水」みたいに。

私はハルカラのほうを見た。

ほぼ同時にシローナもライカもはっとした顔でハルカラのほうを見た。

「ま、待ってくださいよ……。まさか、昨日飲んだ水が液体状態のスライムだったたって言うんですか……？　やだなあ……想像をたくましくしすぎですよ……」

その時、ハルカラのおなかから、変わった音が鳴った。

きゅるきゅるきゅるきゅるきゅる、きゅるきゅる〜。

「わっ！　なんですか、この音！」

「やっぱり何か異常だよ！　下剤でも飲んだほうがいいよ！」

ナムハドの街で薬屋さんを探したほうがいいな。下剤ぐらいはあるだろう。

私はハルカラの腕に手を伸ばす。

しかし、その手はかすったただけで終わった。

「ぴょーん！」

ハルカラが両足をくっつけたまま、三メートルぐらい先へジャンプしたのだ。

まるでスライムのように。

「ハルカラさん、そんなに体にバネがあったんですか？　幅跳びとしてはいい成績ですよ」

ライカが変なところで感心してるけど、多分普段からできることじゃないと思う。

「ねえ、ライカ……ハルカラの目をよく見て……」

ライカが「あっ！」と口を押さえた。

ハルカラの目がスライムっぽくなっている！

「ぴょーん！」

またもハルカラは遠くへジャンプした。さっきよりさらに遠くへ。

このままだと逃げられる！

私たちもあわてて追いかける！　待ってくれ！

「義理のお母様、私はまだ納得がいきません！　桶にたまっていた水が液体になったスライムだとして、それの副作用はせいぜい腹痛だとか下痢のはずですよ！　ハルカラさんみたいな症状が出たら、もっと有名になってます！」

走りながらシローナが言った。

「うん、それはごもっともな意見だよ。だけど……あの時のハルカラにはもう一つ特殊なことが起きてた」

おそらく、一般的なケースではシローナの言うようなことになっていたのだろう。

だが、あの時は違ったのだ。

「それって、何です……？」

「ケンコウサボテンの針が刺さりまくって、ハルカラの胃腸は快調だったんだよ！　だから腹を下したりして、液体のスライムが体の外に出なくて、次の影響が来たっ！」

「ま、まさか……。いえ……体が丈夫ですぐに吐かなかったせいで、かえって症状が長引くということはありますね……」

そのあと、ハルカラはすごい跳躍力で砂漠のほうに逃げていったところを私たちに保護され——下剤と大量の水分を飲まされて——

どうにか元に戻った。

まず、目が元に戻っている。

「すごく、すごく、変な夢を見ていた気がします……。自分がスライムになっていた夢なんですが……」

「そうだろうね。私たちは信じるよ」

ハルカラが偶然にも自分の体で人体実験をしたせいで、人間がスライムを服用した時にどうなるかという医学的な事例が増えました。

あと、スライムが棲息できる温度に関しては、後日、シローナが本格的な調査報告書を作り、スライム研究の進展に役立ったそうです。

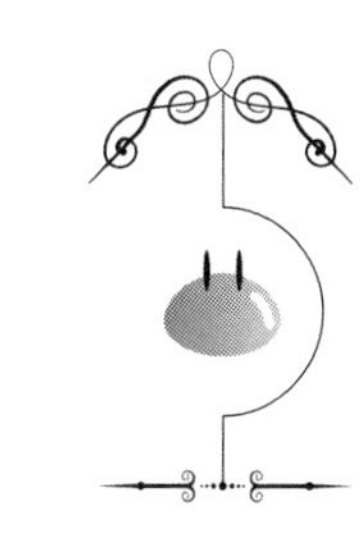

厄年(やくどし)があるか神に質問した

She continued destroy slime for 300 years

ハルカラの工場が休みの日のこと。

何か本を開きながら、ハルカラがため息をついていた。

「そうか。そうだったんですね。そういう理由だったんだ～」

私はそのハルカラの独り言をキッチンで洗い物をしながら聞いていた。聞こえなかったら、それはそれでいい。口調からしてもたいした問題じゃないと思うし。

「うんうん、どうも近頃(ちかごろ)不調だと感じてたんですが、謎(なぞ)が解けたのでしっくりきました。理由がわかればあとは対処するだけだから、半分以上終わったようなものですしね～」

多分、意図的に聞こえるような声で言ってるな。たんなる独り言にしてはボリュームが大きい。

でも、直接こっちに話しかけているわけじゃないし、洗い物という自分の仕事をこなすことにする。

そしたら、ハルカラがキッチンのほうにやってきた。

「あの、お師匠様、聞いてました？　何だろうって思いました？　思いましたよね？」

「やっぱり、聞こえるように言ってたのか」

「答えはこれです！　じゃじゃじゃーん！」

ハルカラが持ってきている本には、こんな文字が書いてあった。

エルフ厄年表（やくどしひょう）

前厄　中心厄　残り厄

「厄年なんて概念あるんだ！」

「そりゃ、ありますよ。エルフは長生きなんで何度も厄年がやってくるんですけど、今年のわたしは残り厄にぶつかってたんですよ」

ごく当たり前のようにハルカラは言っている。

たしかに厄年表の年齢のところには平然と三桁（けた）の数字がいくつも書いてある。なかには四桁の数字すらある。

「けど、厄年って……ハルカラ、むしろ仕事も順調だったんじゃないの？　博物館まで開いてるぐらいだし」

業績が悪い会社は博物館なんて絶対にスタートさせないはずだ。

「事業のほうは好調ですよ。でも、ほら、こういう運・不運っていろんなジャンルであるじゃないですか。わたしの場合、健康運が悪い気がしてたんです」

そう言うと、ハルカラは棚からお酒のビンを出した。


「どうも今年はお酒で悪酔いする頻度が高いなと感じていたんですが、厄年だったせいなんですね」


「単純にお酒を飲みすぎたせいだよ！」

そんなところで厄年のせいにしたら、厄年も怒るぞ。責任転嫁も甚だしい。

「いえ、お師匠様、別にわたしはすべての悪酔いを厄年のせいにしているわけじゃないんです」

「そこは自覚してるんだ」

だったら改善してほしい。

「しかし、以前のわたしは月に二回ぐらいしか悪酔いしてなかったんです。でも、今年は月に四回ぐらい悪酔いしてるんですよ。これは不運と言うしかないと思うんです」

「羽目を外すことが増えてるだけなのでは……」

言い訳をずっと語られているようにしか聞こえん。

「ここ最近になって羽目を外しだしたのなら、それが理由なのでしょう。ですが、わたしはずっと昔からお酒の飲み方は一貫して変わってません！　羽目なら昔から外してます！　だから、運の問題なんです！」

ハルカラは右手でお酒のビンを掲げるように持ち上げた。

威張るな、威張るな……。

「そんなの、食生活を改善したら治ることでしょ。お酒を減らしなさいって神様のメッセージだよ」

私がそう言うと、ハルカラはうんうんと何度もうなずいた。

「はい。神様が関与してるかもしれないほどに大きな力のせいだと考えているんです。そこで――わたし、厄年のお祓いをしておこうかと思います！」

「な、なるほど……。厄年のお祓いも神様のメッセージも同じ次元のものか」

ちょっとだけ納得はできた。

だが、ちょっとだけだ。

ハルカラの場合、酔いつぶれるのを厄年のせいにしているのは確実だと思う。

お祓いというのは、まず自分が修正できることをやったうえで、それでもダメだった時にするものじゃないだろうか。

たとえば、ゴミを大量に捨てて川が濁ってしまったなら、お祈りをする前に川の掃除をするのが先である。

合格祈願だって、一分も勉強してない人はどれだけ神様に祈っても落ちる。

ここは家長として、お酒の量を減らしなさいとはっきり言うべきだな。

「あのね、ハルカラ――」

私の声は途中でかき消された。

「アズサ様！　我はまずいことに気づいてしまいました……」

ばたばたとライカがダイニングからやってきたのだ。

その手に本があったので、何か嫌な予感がした。

「ライカ、どうかした？」


「今年の我はドラゴン厄年に当たっていたようです……」


「ドラゴンも厄年あるんだ！」

「うう……こういうのは一度わかってしまうとずっと気になるんですよね……。精神集中ができません。我はまだまだ未熟者です……」

ライカはテーブルに本を置いて、悩んだ顔をしている。

ライカって占いとか信じるタイプだし、おそらく厄年みたいなものも気にしてしまうのだろう。

どうしたものかな……。気の迷いだよと言うことは簡単だけど、それでまったく悩まなくなるんだったら苦労しないよね。

「ライカ、あんまり考えないようにしよう。切り替えよう、切り替えよう」

「お師匠様、わたしの時と態度が違うんじゃないですか！　そんないたわりの意識はわたしの時になかったですよ！」

ハルカラに指摘された。それは図星なのだけど。

「ハルカラの場合は具体的に改善できることがわかってるもん。不可抗力による不幸続きってわけでもないじゃん」

「お酒の量を減らすのは不可抗力ですよ～」

まあまあイラッとした。

「だいたい、ハルカラは残り厄でしょ。メインの厄年は終わってるし。メインの厄年のところを基準に考えると、だんだんとよくなってきてる途上なわけ。じゃあ、運勢も上向いてるとも言える。上り調子、上り調子」

「たしかに」

そこは素直に受け入れるんだ。

「じゃあ、悪酔いしてもいいんですね」

お酒の量を減らすことだけは絶対にしないつもりだな……。だったら厄払いも意味ないぞ。

その時、キッチンの流しからロザリーが顔を出した。

「変なところから失礼します。霊は湿ったところのほうがしっくりきますんで」

「ああ、うん。それはわからなくもないけど。どうかしたの？」


「実はアタシも今年、悪霊厄年に当たってるんですよ」

「誰が定めたんだよ、その厄年！」

死んでるんだから厄も何もないだろうと思うけど、霊が存在してる以上、ついてるとか、ついてないとかいう概念も出てくるのだろうか。

しかし、たとえば幸運に恵まれてる地縛霊なんてものがいるとしたら矛盾してないか？

幸運だったら成仏するのでは……？

そこにフラットルテが笑いながら廊下からやってきた。

どうもライカを追いかけてきたような感じだった。

「厄年がどうだとか、くだらないことで悩んでるにもほどがあるのだ！　そんなのあるわけないだろ！　ライカは賢いように見えるだけで、本当はバカなのだ！」

「うるさいですね……。気にはなってしまうんですよ。あなたみたいに能天気に生きてるわけじゃないんです！」

ライカが顔を赤くして言った。

顔が赤いのは、本人も少し自覚してるがゆえだろうな。

口で言われれば気の迷いとわかるけど、それでも気にはなる。

占い系のもの（占いと厄年はまったく別だろうけど、近いカテゴリーなので一緒くたに考える）とはそういうものなのだ。

「じゃあ、厄年の時だけ、明らかにケガしてる奴が多いなんて統計はあるのか？　どうせないはずなのだ。だから、厄年に何の根拠もないのだ！」

「…………うぅ、それはそうなのでしょうが……」

ライカは答えられずに黙ってしまった。

フラットルテの言葉、正解なんだよなあ。

フラットルテは勉強をまったくしてないので偏差値的な意味ではバカだと思う。たとえば知らない町の特産品が何かを問う問題は知識がなければ、絶対わからない。そういうのはフラットルテはわからない。

しかし、頭の回転に関してはかなり早いのだ。

あと、合理的な考え方ができる。細かいことにこだわらない分、正解に早くたどりつけるようなところがある。

「厄年なんてことで悩むなら、そんなもの知らなければいいのだ。それを知ることに何の意味もないのだ。いちいちそれを知って困るなんて、穴が空いてるところに行って自分から落ちるようなものだぞ」


「やめてください！　正論で攻撃するのはやめてください！」


ライカの顔がまた赤くなる。

思ったより大きな問題になってきたぞ。

私だって占いで大凶が出たら、しばらくの間はもやもやするだろう。

ちょっとしたミスがあっても、大凶が出たせいかなと思ったりもしただろう。

まあ、現実には大吉が出ようがどうしようが、過労死していたことに変わりはないはずだったと思うけど……。やっぱり根本的なところを改善しないとダメなのだ。

厄年なんてものは気持ちの問題だ。

だからこそ、別の人間が気にするなと言っても何も解決しない。

一方でフラットルテみたいに一切(いっさい)信じない側からすると、問題にもならない。

このあたり、人によって極端に影響が異なる。

そして、悩む子がいる以上は解決するべきなのだ。

洗い物を終えると、私はぱんぱんと手を叩(たた)いた。

「じゃあ、厄年をどうにかしに行こうか」

「エルフ厄年の厄払いはエルフの土地でないとできませんけどいいんですか?」

「ドラゴン厄年なら我の地元に戻らないといけませんが」

「悪霊厄年は有名な心霊スポットに行かないとダメですけど、姐(ねえ)さん怖くないです?」

少なくとも、心霊スポットは絶対に行きたくない。

「個別具体的に対策するんじゃなくて、まとめてどうにかできるところがあるよ」

私は厄年で悩む家族と暇だからついてきたフラットルテを連れて、フラタ村にあるメガーメガ神様のフラタ村分院に行った。

「お師匠様、新しい『徳スタンプカード』をもらうんですか？」

「厄年について直接メガーメガ神様に聞いてみるんだよ」

私が神殿の前に立った瞬間――

私たちは異空間みたいなところに飛ばされた。ニンタンがいる空間に近い。

そこにメガーメガ神様がいた。

「はいはい。皆さん、どうしました？　お悩みならお聞きしますよ」

メガーメガ神様はテキトーな性格だけど、こういう時はフットワークが軽いので助かる。

私はかくかくしかじかとここに来た理由を説明した。

厄年のことで悩んでる家族が多いんですが、ご意見いただけませんか、と。

こちとら、神様とコネクションがあるのだ。

だから、神様に直接伺(うかが)えばいいだろうという発想だ。

これでメガーメガ神様が「厄年なんて、そんなの関係ないです。すべては気の持ちようです」と言ってくれれば、それで問題解決である。ライカも厄年だということを過剰に意識することはなくなるだろう。

厄年かどうかを重視する人は、神様の発言をもっと重視するはずだからだ。

まさに神様に会える立場だからこそできる解決法である。

それと、おそらく厄年なんてものは人間が独自に考えた概念のはず。

少なくとも、神様が厄年の表を作って神官に渡したりはしてない。

これでどうにかなる！

けど、私の目論見は微妙にズレた。

「そうですか、厄年ですか。う～ん。答えづらい質問ですね～」

あれ？　メガーメガ神様が珍しく難しそうな顔をしている。

「てっきり、私は『厄年なんて迷信です』と一刀両断してくれると思ってたんですが……」

「私もそう言いたいんですけどね、ほら、こちとらプロなわけですよ。だから、いいかげんな答え方もできないじゃないですか。科学者に質問しても、断定的な意見が返ってこないようなものです。プロだからこそいろんな可能性があることは無視できないんです」

神が科学者をたとえに出すのもおかしい気がするが、言いたいことはなんとなくわかる。

「私よりは詳しいと思うので、こっちの神にも聞いてください」

とメガーメガ神様が言うと――

そこにニンタンが出現していた。

神だから空間の移動も自在なのかもしれないが、それにしても唐突だな……。

「おい！　いきなり引っ張り出すのはやめよ！　朕は神であるぞ！　もっと丁重に扱うのが筋であろう！」

当然のようにニンタンがメガーメガ神様に文句を言った。

「まあまあ。ところで、かくかくしかじかなんですよ」

「本当に『かくかくしかじか』と口で言われても何も通じぬ！　そこははしょらずに言え！」

メガーメガ神様が話すより、私が説明するほうが、伝達ミスも少ないと思ったので、私が改めて説明した。どうせ、そんな長くなるような話じゃない。

「ほう。厄年か。なるほどのう」

むっ。ニンタンの反応もどうも歯切れが悪い。

できれば「心の迷いである」などと言ってほしかったが、そうでもないみたいだ。

「なんか怖くなってきたぜ。もしや、厄年って実際にあるものなんですか……？」

ロザリーが青い顔をして確認するように尋ねた。

「その種族がある年になると一気に不運になるなんてことはない。それだったら、厄年なんてふわっとした概念ではなく、古代からもっと明確に恐れられておるであろう」

それはそうだと思う。そんなの、魔法が実在することより、よっぽど奇妙だ。

「だったら、厄年なんてないんじゃないのか？　何も問題ないのだ」

フラットルテは神に対してもタメ口だ。この場合、神を信じてないとかじゃなくて、神をどうとも思ってないということだろう。

ニンタンは首をかしげた。

「いや、厄年というようなもので概念化はできんのだがな、その……この世には運命というものが……あるかないかと問われれば、あるのでな。もしかすると、厄年の頃にひどい目に遭う奴もそこそこおるのかもしれぬ。中には厄年ということでひどい目が二割増しになることもあるのかのう。だから、影響なしと断定しづらい」

「えっ……。運命ってあるの……？」


私はびっくりして聞き返した。

それが事実だとすると、私たちの未来も運命によって定められているということにならないか？

「アズサさんが考えるほどヤバいことではないですよ〜。今後、アズサさんが何かすることがすべて事前に決まってるなんてことはないです。この世界のすべての人のおならするタイミングやあくびするタイミングを決めるほど神様は暇じゃないです」

メガーメガ神様、フォローはうれしいけど、おならやあくび以外でたとえてほしかった。

だったら、やっぱり運命などなくてすべて偶然の産物なのでは？

もっとも、神様たちの反応からすると、そんな単純なことではないようだ。

メガーメガ神様がニンタンのほうを向いた。

「この世界にはいるんですか、その手の担当の神様」

「うむ。運命の神という奴がおる」

ものすごく強そうな神がいるらしい……。

「運命の設定や調整はそいつがしておる」

マジか……。運命って概念、あるの確定だ。

「朕は詳しくないが、乱数がどうとか、確変がどうとか、そういうのじゃ」

急にうさんくさくなった。

「まっ、厄年がどうとかいうことも、そいつが関与しておる可能性はある。なので、朕もメガーメガも断定できんかったわけである」

壮大な話になってきた。

「なので、運命の神のところに行って、『厄年ってどうなってるんですか?』と質問するのがよいであろう」

「やっぱりそういう話になったか!」

まあまあ、行くの怖いな!

運命の神がどんな存在で性格かもわからないが、なかなかハードルが高い。

会っていきなり「あなた、明日死にますよ」なんて言われたら相当怖い。怖いどころの話じゃない。

少なくとも、運命の神に厄年について聞くぐらいなら、厄の期間が過ぎ去るのを待つほうがいいと思う。過ぎてしまえば、何も恐れることはないのだ。

「その運命の神の居場所であるがな、ここにおるはずなので、行ってみるとよい」

ニンタンが場所を記した紙みたいなのを出してきた。

「おいそれと会える存在ではないが、この紙が紹介状の役目も果たすので、そなたらでも会えるであろう」

うわあ！　これじゃ行かずに済ますってことにしづらい！

「アズサさん、後でどんな神だったか教えてくださいね～。多分、私も会ったことない神なんですよ」

メガーメガ神様、追い打ちかけるの、やめて！

ただ、私よりもライカが深刻な顔をしていた。

「その……アズサ様、申し訳ありません。まさか、こんな大事（おおごと）になるとは……」

「いや、ライカの責任じゃないよ。運命の神なんて話が出てくるって考えつかないもん……」

「わたしも『お酒で体壊して明日死ぬ』とか言われたらどうしましょう……」

「お酒で体壊すのを恐れるなら、控えて」

ハルカラの場合は自助努力でどうにかなるだろ。

◇

後日、私とライカ、ハルカラ、ロザリーは運命の神のところへと向かった。

なお、フラットルテには留守番をしてもらった。

最初からフラットルテがさして興味を持ってなかったというのもあるが、運命の神を怒らせでもしたら怖いなと思ったからだ。

まさかそんなひどいことはしないだろうけど、「ムカついたから、お前、明日死ぬことにするわ」なんて言ってくる危険が皆無とまでは言い切れない。

運命を自在に操る神ならそれぐらいできそうである。念には念を入れておきたい。

そんなわけで私たちは何の変哲もない、とある州のとある川のある地点に来ていた。

河川敷の横に大きな岩がある。

「おそらくある時期に洪水が来て、流されてきたんでしょうね」

岩のあたりをロザリーが漂いながら言った。そういうことだろうね。

「よし、ここがスタート地点だね。じゃあ、私がカウントしながら歩くけど、ほかのみんなも心の中でカウントしてね。それで、私がズレてたら教えて」

みんながこくりとうなずく。

私は「いち」と言いながら、一歩目を踏み出す。

「に、さん、よん、ご！」

――まずは川から逆側に五十五歩分、歩くように。


ニンタンがくれた紹介状にはそう書いてあったのだ。

ちなみに私の真後ろにライカが、その後ろにハルカラがいる。歩幅はそう違わないから、これで大丈夫だろう。

「ごじゅ～ご！　よし、みんなズレてないよね。大丈夫かな？」

私は頭上を見上げる。ロザリーが上からもチェックしてくれている。

「問題ないと思います！　引き続きの健闘を祈ります！」

健闘というのはおおげさだけど、とにかく続けよう。

「ええと、今度は真北に三十八歩か」

私は体を北のほうに曲げる。

「いち、にい、さん！　よん、ご、ろく！」

これ、歩数の数え間違い以前に、歩きだした方角が微妙にズレていたりすると、そのうち大幅に違うところに到着しそうだが……そういうことは一度全部忘れて素直に実践している。

神様というのは、こういうのがテキトーなのだ。仕事のスケールが大きい分、細かなところまで気が回らないことが多い。

かといって、神様以外に厄年について聞いても、ふわっとした答えしかできないだろう。プロに聞いたという点では、一番の近道のはずである。

『次は右斜め方向に千四百八十三歩進め。その上で呪文（別紙参照）を詠唱せよ』――って、さすがにズレるだろ！　ぴったりその場所に行くほうが無理だよ！」

「まあまあ、アズサ様……。やるだけはやってみましょう……」

「うん、ここで諦めて帰ったりはしないよ。なまじ、実行できないほどじゃない数字なのがまた……」

今度は私のあとに時間をおいて、ライカとハルカラにも別々にスタートしてもらうことにした。

実際にどれぐらい到達点がズレるか確認してみたかったのだ。

まずは私が歩いてみる。ライカとハルカラは休憩できそうな木陰で休んでいる。

そして、七百歩ほど地道に歩いていた時のことだった。

横からぴょんぴょんとスライムがやってきた。

「邪魔だから、あっち行ってて」

進路をふさがれたので、中腰になってつかんで、遠くに投げた。

「お～、お師匠様、よく飛びましたね～」

木陰のほうからハルカラの声がする。

「だね。持ち方がよかったのかな」

さて、邪魔者はいなくなったので、また行動再開――

…………あ、やばっ。

私は青い顔でゆっくりと後ろを向いた。

「あのさ……私って何歩まで歩いてたっけ……？　スライムが来たせいで忘れた」

当然、誰も覚えてなくて、なんかやるせない空気が流れました。

「つ、次から百歩ごとに地面に目印でもつけましょう！　お師匠様、失敗も成功の母ですよ！　薬だって何人も臨床実験があって、適切な投薬量が確立されたんです！」

ハルカラにやけにポジティブな励まし方をされた。

それだけ、やっちゃったという空気になっていたのだろう。

「ありがと、ハルカラ……。ただ、臨床実験のたとえはなんか怖い」

こうして、スライムが出てきて歩数を忘れるという私の尊い犠牲もあったりして――

「千四百八十三！」

私は目的の場所に着いた。

早速、足下に×印をつけておく。あとは正解からズレてないことを祈るだけだ。


そのあと、ライカとハルカラが同じように歩いていったが、私の場所からはかなり離れたところになった。

ライカは私よりかなり先で、ハルカラはだいぶ手前にいた。

「うん……。こうなることはわかっていた」

こんなシステムで場所に違いが出ないほうがおかしい。

それぞれの場所が違うためか、ライカからもハルカラからも、どことなく脱力感が広がっているのがわかる。

少なくとも、自分の足下こそ正しい地点だと考えるのは無理がある。

「ねえ、ロザリー、見ていた感想をどうぞ」

「皆さん、歩幅が違うんですよ。数歩ならともかく、これだけ歩くと、そのズレが増幅して全然違うところに行っちゃいますね」

「うん。そういうことだ。まっ、ダメ元で詠唱をするか」

私はニンタンのくれた紹介状の二枚目を見る。そこに運命の神のところに行くための呪文が書いてある。

「みんな、呪文は書き留めてるよね?」

いろんな方向から「はい」の言葉が返ってくる。呪文は短いので、人数分メモをしてきた。

「それじゃ、一斉に詠唱してみようか。誰か一人ぐらい成功するかもしれないし」

また「はい」の言葉が返ってくる。


「ハンセリア・ヴァンセリノ・オッセーレ・ルルゥアン」


まったく期待せずに詠唱をしていたのだが――

私の体は突如、どこかに飛ばされた!

◇

そこはニンタンのいる空間に近いところだった。

神に関係する空間なのは間違いない。

「あれ？　ちょうど正解の場所だったの？　奇跡に近いな」

「あっ、ほんとに来た。ニンタンが言ってた人間か」

後ろから声がしたので振り返ると、机に大量の粘土板みたいなのを置いて何やら仕事している人がいた。

赤茶色の長い髪を縛っていて、涼しげで中性的な顔立ち。わずかに膨らんだ胸元から女性なのだとわかった。ところどころにある黄色と黒の差し色がお洒落な人だ。

「あなたが運命の神様ですか……？」

神と会うのは初めてではないが、いまだに緊張する。

「そうだよ。運命の神カーフェン。ニンタンが会えと言ってたんで、会うことにした」

そのカーフェンと言った神はこっちを見てない。ずっと粘土板を読んでいる。どうも業務時間中に来てしまったらしい。

「話は聞いてるから心配しないで。で、何を聞きたいの？　すぱっと解決するよ」

知ってる神の数が少ないだけかもしれないが、メガーメガ神様ともニンタンとも違うタイプだな。

なんというか、人間そのものに興味なさそうな感じがある。

それは別に構わないのだが、一点、問題があった。

私しかこの世界にいない。

どうやら正解したパーティー全員が自動的にここに飛ばされるわけではないらしい。

「ええとですね……実は肝心の子たちが到着してなくて……」

私が代表して厄年について質問してもいいんだけど、できればちゃんと気にしている人間が聞くべきだろう。

「ああ、それは大丈夫。ちょっとしたタイムラグだから」

そうカーフェンが言った次の瞬間――


私の真ん前にハルカラの顔があった！


「わわわっ！　お師匠様、近すぎますよ！　変な気分になっちゃうじゃないですか！」

「いや、変な気分になるのはおかしいだろ！　それに近すぎるところに出たのはそっちだし！」

私は大きく後ろに一歩下がった。


――と、今度は目の前にライカの顔が現れた。

「きゃっ！　す、すみません、アズサ様……。場所が悪かったですね……」

「いや、こういうこともあるよ……。気にしないで……」

ライカも恥じらって距離をとった。私も横にそれる。

いや、でもまだ一人残ってるはずなんだよね。二度あることは三度あるというか……。

だが、目の前にロザリーが出てくるということはないらしい。

もっと遅れて出てくるのかな？　あるいは全然違うところに現れた？

なんか、体の内側がかゆくなった……。


「姐さん、ごめんなさい。姐さんの中に出てきてしまいました」


ロザリーの声が異様に近くから聞こえる！　いわゆるバイノーラル音声！

「そういうことか！　落ち着かないからできれば出て！」

ロザリーが出ると、体のかゆさも消えた。


「うん。これで全員かな。君たち歩数を間違えずにちゃんと数えたでしょ。ああいうのは数が大事なの。だから、ここに来れた地点に歩数を数えずにいきなり行っても何も起こらないよ。そういうイベントだから」

イベント……。どうもメタ的な発言だ。

「改めて言うけど、僕が運命の神カーフェンね。はい、質問したいことがあったら言って」

メンバーが揃(そろ)ってもカーフェンは粘土板を読んでいる。案外忙しそうだ。私が知ってる神の中で最も働いている感じだ。

私以外の家族三人は顔を見合わせている。

誰が質問するか決めていなかったのだろう。

神に質問するのだから、緊張するというのはわかる。

「わ、わかりました……。ここはなかば言い出しっぺのわたしハルカラが質問しましょう」

質問役はハルカラになったらしい。

「あの運命の神様、ずばり厄年というのは本当にありますか？」

カーフェンは粘土板にやっている視線をハルカラのほうに向けて、

「あるよ」

と、あっさりと言った。

「や、やっぱりあるんですね！　早く厄払いしないと！」

ハルカラがあわてていた。いくらハルカラでも、運命の神に言われると威力も大きいらしい。今度こそ、お酒を控えるかも。

ライカもロザリーもどうしようという顔をしている。

私はあっけにとられていた。

厄年なんてものにここまでの影響力があったなんて……。

「あの、レッドドラゴンのライカと申します。その……厄年の影響を減らすにはどうするべきなのでしょうか?」

今度はライカが質問した。厄年があると言われた以上、当然の反応だ。

「影響? そんなもの、ないよ」

また、カーフェンはそっけなく言った。

「ど、ど、ど、どういうことなんですか⁉ 結局、あるの? ないの?」

混乱してきた私はカーフェンに質問した。

どうも、この神様は人を食ったようなところがあるし、もう少し詳しく聞いたほうがいい。

「言葉のとおりさ。まず、エルフさんが厄年があるかって質問したでしょ。厄年という概念は、厄年という言葉を使って僕に質問した時点で、明らかに存在するから――『ある』と答えたのさ」

運命の神は机に肘を載せて、手のひらに顔を置いた。

「一方で、厄年の影響なんてものに実体はないから、『ない』と答えた。矛盾は何もないよ」

つまり――厄年というのは概念としてはある。

しかし、影響としては、ない、ということか。

「そういうことですか~。そしたら、厄年なんて迷信ってことですね。よかった、よかった~」

「迷信ではないよ」

ハルカラの言葉をまた運命の神が涼しい顔で否定した。

「えええええ！　どっちなんですか？　はっきりしてください！」

ハルカラが悲鳴を上げた。

うん、私もどういうことなのと思っている。私が質問していた。

「だって、厄年という概念は君たちの中で長い期間、漠然とでも信じられてきたわけでしょ。だったら、それは迷信とは片付けられない、れっきとした文化や習俗でしょ。ならば、いろんな面で君たちの人生に影響しているはずだ」

「は、はあ……。そう言えないこともないですが……」

私はその様子を見て、なんとなくこの神のやり口がわかってきた。


この神は屁理屈が上手なタイプだ！


こういうキャラはたまにいる。一歩間違うとそれこそ痛々しい感じになったり、イライラさせられたりするが、このどこかズレた雰囲気の中性的な顔にはマッチしている。

そういう意味ではキャラに助けられているとも言える。もしブッスラーさんやミスジャンティーあたりが、同じことを言ってたら今の五倍ぐらいイライラさせられていた可能性がある。

「アタシは頭が悪いから勘違いしてるのかもしれないですが、厄年だけ不運になるなんてことはないんだってことですよね。だったら、それでいいです」

「うん、幽霊さんの言葉で合ってるよ。厄年というのは、ある時にいつのまにかできてしまった額縁（がくぶち）の一つさ」

「額縁、ですか？」

変なたとえだったからか、ロザリーが聞き返した。

「そう。そういう額縁を使って物事をとらえたほうがわかりやすい状況というのがあったんだろう。だから、額縁を道具として利用できているうちは何も問題ないんだ。でも、その額縁に操られているようなら――」

運命の神カーフェンは、ふぅとため息を吐いた。

「――それは主客転倒というものさ」

なんか、キザだな……。

「まっ、厄年にしろ、おまじないにしろ、占いにしろ、偶然ばっかりのこの世界をわかりやすく考えるための道具だと思って上手に付き合いなさいってことだね。自分が道具の使用者だということを忘れないようにしていれば、どうにかなるよ」

言ってることはわかるのだけど、どうも鼻につく……。

いや、神様ってこういうものなんだろうか。ニンタンだってジャンルは違うけど偉そうだし、むしろ神様だから偉いわけだし。最初に出会った神様がメガーメガ神様なので私の中の基準がゆがんでいるだけかも……。

でも、これ以上の厄年の専門家はいない。

ここはとことん聞いておこう。

「高原の魔女アズサです。あの、運命の神様、そしたらこの世界に必然はなくて偶然だけということでいいんですか？」

「必然という言葉がある時点で、必然という――」

「その部分はわかりましたので、スキップで大丈夫です！　多分、偶然に意味を与えて必然という概念を生み出してしまうとかそういう話ですよね！」

「高原の魔女さん、察しがいいね」

ふふんとカーフェンは笑った。

「お褒めにあずかり光栄です。まあ、理論はわかりました」

この神の話はやけにくどくどしてるけど、つまり、運命も必然もないよということが言いたいだけなのだ。

それをかっこつけて表現すると、この神みたいな言い方になる。

「そう、必然という言葉がある時点で、必然は生まれてしまうけど、それは偶然の中から恣意的に選び出して必然と名付けたものにすぎないんだよ」

私が止めたのに結局話し出した！

カーフェンが私の瞳をじっと見た。

「高原の魔女さん、君が考えていることはわかる。話が長いなと思っているよね」

「は、はい……」

バレているなら隠してもしょうがない。

「でも、言わせてくれないかな。言わないと締まりが悪い」

「案外、正直ですね！」

「ありがとう。極力、短く説明できるように心がけるから少しだけ待ってほしい」

カーフェンはちょっとほっとした顔をした。

どうやら私みたいなタイプは彼女にとって面倒らしい。

たしかにライカもロザリーも聴き入っている。

ハルカラは厄年がないとわかった時点で気が抜けた様子のようだ。

「たとえば、君たちはそれぞれ自分の立っていた場所でニンタンから渡された呪文を唱えたはずだ。そうだね？」

「はい、そうです」とライカが答えた。

そのせいでカーフェンの目がライカに向いた。

話を聞いてくれる人がいるほうが楽なんだろう。

「その立っていた場所は君たちそれぞれが違っていたはずだ。でも、僕のいるここに飛ばされた。ドラゴンの君、もし君一人が歩数を数えて呪文を唱えてここに飛ばされたら、その地点をどう思う？」

「た、正しい場所だと考えるかと」

「うん。きっと特別な地点だと考えるだろう。ついでに言うと、呪文だって、ここに来られたのだから特別なものだと考えるはずだ」

「そう考えます。あれ……？　だとすると、我とほかの皆さんの位置が違うのはどうしてでしょうか……？」

「真相を話してしまうと、僕はここに到達するための方法を試した者をチェックしているだけなんだ。だから、たまたま一歩数え間違ったからといって、失敗にしたりはしない。歩数をちゃんと数えるということをやった時点でここには来られていたんだよ」

そういうことなんだろうな。でないと、誰もたどり着けないしね……。

「でも、自分のやった方法が上手くいったのであれば、それが成功例として特権化される。それが偶然の中に隠されていた必然というものさ」

「な、なるほど！」

ライカがこくこくとうなずいている。

それを見ていたカーフェンの表情が一瞬、ゆるんだ。

こう、素直に感心してくれるとうれしいんだろうな……。

私たちは紹介状をもらった時点で、ここに来られたというわけだ。

それなら、何歩進めだなんて雑な行き方の説明だったのもわかる。

「まっ、そんなところさ。この世界は偶然しかない。効率のいい方法が発見されて広まることはあっても、それは効率のいいものが便利で広がっただけのことであって、必然とは違う。人間は大量の偶然を理屈という額縁で区切って考えるということさ」

額縁って表現、よく使うな。

運命の神の長い話は終わった。

説明そのものは納得のいくものではあった。

さて、厄年の悩みも解決したし、早々に退散しよう。

うかつに質問すると、ものすごく長い説明を聞かされる恐れがある……。

「それじゃあ、私たちも帰ることにしようかな。運命の神様、ありがとうございまし――」

私がぺこりと礼をしようとした時、

「あの、それでは運命の神はどういうお仕事をされているのでしょうか？」


ライカが次の質問をしてしまった！


でも、気にはなる。

たしかに運命だとか必然だとかいったものがないとしたら、この神は何を管理していたりするのだろう。

「世の中には不合理なことがたくさんあるよね。そういう不合理なことを埋めるのが僕の仕事なんだよ」

とてつもなく、中二病なセリフだな……。

「それは具体的にはどのようなお仕事なのでしょう？」

もう質問役はライカに任せよう。あと、今、またカーフェンがうれしそうな顔になった。私は見逃さなかったぞ。

「そうだね。たとえば、とあるゲームで六面のサイコロを振って、奇数が出ればキャラが生き返り、偶数が出るとキャラが死んだままという試行があったとしよう」

「成功確率は五割ですね」

「でも、なんか八割ぐらいの確率で失敗してる気にならない？」

私は脳内で「言われてみれば！」と思った。

そして、カーフェンはまた、なんかキザっぽいため息をついた。

「ああいう時、僕が一時的に失敗する確率を上げているのさ」

「なんでそんなことしてるの⁉」

これはツッコミを入れずにはいられなかった……。

「僕もこんなことはやりたくないんだ。でも、運命の神である以上、やらないといけないんだよ。理論上は百回に一回は成功するはずなのに、まったく成功させられない——そういう状況を誰かが作るしかない」

「いや、ただのイヤガラセでしかないですよ！　しかもかなり悪質！」

「やむをえないのさ。運命というのは、そういう不合理なものだからね。なので――」

カーフェンは立ち上がると、ごちゃごちゃ記号が書いてあるボードを出してきた。


「これは『厄年で不幸になる人を選ぶ的』だ」

「猛烈にタチが悪い！」


「今からダーツを投げる。やけに不幸になる人が決まるのさ」

「ひどい！　ひどすぎる！」

鬼や悪魔みたいな所業だ！　けど、これが運命の神なのだと言われれば、なるほどという気もしてくる。運命の神って人間をもてあそびそうだもんな。


「では、やってみようかな。誰がひどい目に遭うかな。どうなるかな」


カーフェンはダーツの素振りをしている。マジで投げる気だ。

おそらく、あのダーツで不幸になることに選ばれた人は――死ぬ。

なにせ、神が選ぶ「とくに不幸になる人物」なのだ。

やたらと靴下の穴が空くなんて次元のもののわけがない。

「ああ……ああ……こういう時、わたし、当たってしまうんですよ……。そういうところだけ、異常に不運なんですよ……」

ハルカラがガタガタふるえている。たしかに、それはあるかも……。

「アタシも一切の心残りがなくなって、悪霊としていられなくなったらどうしよう……」

ロザリーのそれはいいことに聞こえるからややこしいな！

ライカはどうしようという顔で、硬直してしまっている。

今、運命の神がやろうとしていることは——死ぬ人間を決めるようなことだ。

それはある意味、人殺しみたいなもの。

ならば、止めたほうがいいに決まっている。

でも、それが運命の神の仕事ならば、神でない私たちが止められるものでもないし、止めていいものでもない。

報復が怖いとか以前の問題だ。止めるのはいいことなのか？

ライカのことだから、それぐらいのことはこの短時間で考えているだろう。

そして、考えても考えても——結論は出るわけがない。

だって、やろうとしているのはほかならぬ神なのだ。

これが仕事だと言われたら、それを覆せる論理なんて私たちにあるわけがないのだ。

だから、ライカもたじろいでいる。
「修行不足ですね……。我の中での答えが出せません」
ぼそりとライカがつぶやく。
これは究極の選択だ。
「さあ、投げてみよう。誰に刺さるかな。無数の厄年の存在がいるからね」
もう、運命の神は今にもダーツを投げそうだ。
それで、私はどうしたらいいのだろう。
当然、私だって答えなど出ない。出るわけはないけど――
もう一度ライカの表情を見た。
葛藤しているのはすぐにわかった。
ああ、そうだ。
私の中での答えは出た。
運命の神がダーツを投げる。
私はすぐに的のほうに飛びだして――
そのダーツを右手でつかみ取った。

「これが私の答えです！」

私は叫んだ。

「やってはいけないことなのかもしれないけど、弟子が悩んでいるなら、代わりに師匠の私が決断する！　こんなことでライカが嫌な気持ちになるのは、それこそ不合理だから！」

正しいかは判断できない。だから、弟子の迷いを一つ取り除くことを私は選んだ。

これで立場が悪くなるなら、その時はその時だ。

幸い、コネはほかの神様含めて、なかなか強い。

いざとなったら徹底抗戦の構えをとる。

「ア、アズサ様！」

ライカの声は少しかすれていた。

「ほほう。厄年で不運になる人が生まれるのを拒否するということかな。なかなか思い切ったね」

少しばかり、口元に笑みを浮かべて、運命の神は言った。性格が悪すぎる。

「いちいち不幸になる人を作るっていうことは、私にとっては不合理なことだから。そりゃ、神様視点で見ると必要悪なのかもしれないけど……人間視点で見れば、死ぬ人が出そうなのに、それを止められる立場にあって、止めないのはよくないことなんだよ」

ひとまず、それは止めるべきことなのだ。そう私は考えている。

そこで見殺しにするのが正しい行為だとは私は思えない。

「それにライカに、『仕方がないんだよ。止められないよ』って言えないしね」

私はライカのほうを見て、笑った。

師匠として、それはダメな態度だろう。

「アズサ様……我はアズサ様の弟子で本当に幸せでした！」

「過去形で言うの、怖いからやめて！」

私が取り返しのつかないことをしたのが前提みたいになってるから。

もっとも、本当にそうなのかもしれないけどね。

さあ、運命の神カーフェン、どう動く？

「………申し訳ないことをした。すべて冗談だから許してほしい」

カーフェンは両手を前に出して、「こらえてくれ」というポーズをとった。

「えっ？　冗談？」

それはそれで感情のやり場に困るんだけど……。

「厄年で不幸になる人間を決めるなんてことはしないよ。厄年というのは文化的なものでしかなくて、神が介入することまではしない。そこは間違いない」

「だったら、今までのことは何だったんですか！」

ものすごく納得がいかない。

「いやあ、本当にくだらない冗談のつもりだったんだけど、その……見事に真に受けられてしまって……僕も引きどころが見つからなくてね……。申し訳ない、申し訳ない」

カーフェンはひたすら謝罪を続けた。

「いや、ダメでしょ！　そのへんの一般人がやるネタならともかく、神様がやったら誰だって本気にしますよ！　やっていい冗談と、そうでない冗談がありますよ！」

「うん。そのとおりだ。僕のミスでしかない……」

謝罪以上のものを請求するわけにもいかないし、ここで落としどころにするしかないな……。

「あの、アズサ様、その……」

カーフェンの謝罪が済んだら今度はライカに声をかけられた。

「とっても、かっこよかったです……。我はこれからもアズサ様の弟子として精進していきたいと思います！」

そう言われるとうれしいけれど、それよりも照れる……。

「お師匠様、素晴らしいです！　一生ついていきますよ！　お酒で体を壊してもよろしくお願いします！」

「ハルカラは後半の部分を取って！」

「姐さん、一生憑いていきます！」

「ロザリーの場合も『憑く』の意味が変わってくる！」

偶然にも格好をつけたことをしてしまって落ち着かない……。

「ハルカラ、ほら、厄年も問題ないらしいし、帰ろうか。うん、帰ろう、帰ろう！」

もう、ここから退散することを選ぶ！　長居は無用！

少しだけカーフェンが残念そうな顔をした気がした。

「そ、そうか……。これも何かの縁だ。気になることでもあればまた質問に来ればいい。粘土板を読みながらでいいなら、いくらでも聞いてあげよう」

この神、実は話し相手がほしいのでは……？


単純にコミュニケーションが苦手な気がする。

それを直接言うのはさすがに失礼だと思ったので、その場では控えました。


元の世界に戻ったら、少しほっとした気がしたけど、それで一件落着というわけにはいかなかった。

ドラゴン形態のライカの背中に乗って帰る時も、

「アズサ様は本当にご立派な方です」

などと、やたらと褒められまくって、心がむずむずした。

尊敬されすぎるのも、考え物だ。

運命の神に出会って、こんな恥ずかしい目に遭うということは、すべては必然だったのかもしれない……。

くぅ……。ライカが純粋に褒めてくれてるのがわかる分、余計に恥ずかしい！

なお、その日の夜、ハルカラが、

「厄年が関係ないので祝い酒ですよー！」

と言って飲みすぎて酔いつぶれた。

酔いつぶれるまで飲んで酔いつぶれるのは必然だ！

◇

後日、私はニンタンに質問した。

「運命の神って、その…………友達あんまりいないでしょ」

「あいつ、運命の神というキャラにこだわっておってな……それであんな感じになってしまっておる。ああいうキャラである以上、自分から遊びに行ったりできんのだ」

私の予想はだいたい当たっていたらしい……。

「面倒な奴ではあるが、有害なことはしないと思うので、たまに行ってやってもらえると助かる」

「うん、了解したよ」

誰か暇そうにしていたら、運命の神のところに派遣しようかな……。

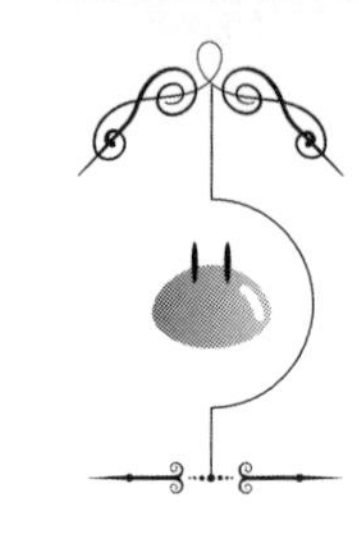

誕生日を決めた

She continued destroy slime for 300 years

「ねえねえ、ママ〜」

洗濯物を干していると、ファルファがやってきた。

後ろにはシャルシャも控えている。

それと、サンドラもちょっと離れた地面に体を半分ぐらい埋めながらこっちを見ているのがわかった。いつもと光合成の場所が微妙に違う。話を聞いている感じがある。

「何、ファルファ?」


「ママの誕生日っていつなの〜?」


シンプルな質問が来た。

「誕生日? 誕生日か〜。…………誕生日?」

洗濯物を干す手が少し止まってしまった。

そういや、私にとって誕生日っていつということになるんだろう……。ほぼ考えたことなかったな……。

理由は単純で、私はこの世界に誕生した瞬間から見た目は十七歳の魔女だったからである。

なので世間一般で言うところの誕生日ではない。あの誕生日というのは、本来赤ちゃんとしてこの世に生を受けた日を意味するはずだから。

私はオギャーオギャー言う時期がなかった。幼少期というものはない。キノコを食べて、ちびっ子になったことはあるけど、価値観は三百歳のままだから、あれは幼少期とは言わない。

本来の誕生日とは違うとしても、私の場合、メガーメガ神様にこの姿で転生させてもらった日を誕生日とカウントするべきなんだろう。


でも、それって何月何日だ？


だって、転生した日に、「今日は誕生日だな」なんて考えないものな……。

「ええとね、実は私も正確には覚えてないんだよね。だいたい予想はつくんだけど……」

ファルファの後ろでシャルシャが何かメモみたいなものをとっているのがわかった。

「そっか～。できれば日付を教えてほしいな～。ファルファ、興味持っちゃったんだよね～」

シャルシャのほうは興味といった次元じゃないらしく、メモの手を止めて困った顔をしていた。

「記録がないと歴史学は何も語れない……。憶測に憶測を重ねると、事実は時間のヴェールに覆（おお）われてしまう……」

壮大なスケールで悩んでるな、シャルシャ……。

「ほら、アズサ、ちゃんと思い出しなさいよ。いつ発芽したかぐらい、わかるでしょ？」

「サンドラ、発芽って表現はおかしい」

ていうか、植物の誕生って発芽なのか？　種は卵みたいなものだから合ってるのか。

ややこしくなってきたので止めよう。

とにかく、娘たちが私の誕生日を知りたがってることだけはわかった。

「じゃあ、ママは洗濯のあとで誕生日を決めるよ。ほぼこのへんの日だなってことまではしぼれるし」

「母さん、それは困る」

シャルシャが首を横に振った。

「歴史学というのは記事の日付が数日ズレるかどうかで前後関係が変わって、意味が大きく違ってくることも少なくない。まして、今から過去の日付を適当に決めるというのはおかしい。それでは捏造（ねつぞう）になってしまう」

「私が誕生日を決めることが否定（ひてい）されている⁉」

とはいえ、シャルシャの言いたいこともわからなくはない。

後付けで設定された誕生日は、厳密には誕生日ではないよね。それは誕生日として定められた日だ。

もっとも、娘たちが誕生日を知りたがる理由は予想がついた。

——きっと誕生日のお祝いをしようと考えてくれてるんだな。

むしろそれぐらいしか人の誕生日を聞く理由ってないと思う。ほかは、伝記作者程度しかいないのではないだろうか。

「できればもっと正しい根拠に基づいて決定したい。一次資料があればありがたい」

「一次資料って……」

前世だと戸籍があるはずなので、役所に行けばわかりそうなものだけど……。役所か。

「フラタ村に行けばわかるかもしれない」

これでも三百年、村の近くで暮らしてるので、私はレベルMAXだとかわかる前から村の人からはそれなりにリスペクトされていた。村の人のために薬も作っていたしね。

「ちょうど、昼からユフフっていう精霊も来るらしいし、ちょうどいいじゃない。昼前に買い物してきなさいよ」

サンドラが言った。そう、今日はユフフママから遊びに来ると連絡があったのだ。

松の精霊ミスジャンティー経由で。

ミスジャンティーが「この日にユフフさんが来るって言ってるっスけど大丈夫っスか？」と言われた。精霊同士では情報のやりとりが行われているようだ。

このあたり、ご近所で電話のある家が一軒しかなかった時代のようなやりとりである。その時代に生きてたことがないのでよくわからんが。

「じゃあ、少しスピードアップして洗濯物を干そうかな」

「ファルファも手伝う～！」

「シャルシャもやる」

こうして、ぱぱっと洗濯物を終えて、フラタ村に出ました。

私は村の公民館に当たるところに行った。厳密には村役場と言うべきなんだろうけど、ノリとしては公民館と言ったほうが近い。

ちょうど村長がいた。

「おお、アズサ様。今日はお子様たちとご一緒ですか」

「すみません、つかぬことをお聞きしたいんですが――私の誕生日ってわかります？　どうも娘たちが知りたがってるんですけど、私自身はうろ覚えで……」

質問が特殊なものだったから、理由を付け加えてしまった。

自分の誕生日を知りたいんですとだけ伝えると、自意識過剰な人みたいだしな。

「ほほう、ご生誕の日ですか。村で編纂（へんさん）している『**フラタ村の歩み**』を見てもらえればいいかと思います」

おお、そんなものがちゃんと作られていたんだ。この村も案外しっかりやっていたんだな。

村長は本を探すと言って席を外すと、分厚い本を持って戻ってきた。これが例の本だろう。

そしてぱらぱらとページをめくる。


やけに神々しく美化された私らしき絵が出てきた。


ページの上には「偉大なる高原の魔女アズサ様の記録」と書いてある。

「な、何これ⁉　こんなの聞いてないよ！」

「これはワシが村長に就任する前のものですが、おそらく偉大な高原の魔女様にいちいち確認をとるのも失礼だということで、そのまま作業を進めたのでしょうな」

いや、無許可で書かれるほうがまずいぞ……。ただ、この世界、肖像権なんてないから止められないのか……？

シャルシャがすっと本の前にやってきた。真っ先に確認がしたかったのだろう。

「ここに書いてある。『ギルドの記録を元にしてここに記す。高原の魔女様がお生まれになった日、長く曇っていた雲が割けて、一筋の光明がやってきた』」

「あからさまなウソじゃん！」

そんなだいそれた生まれ方は絶対にしてない！　その生まれ方ならいくらなんでも覚えてる！

「『村の者たちは、今後、おおいなる幸せが訪れることを確信した』と書いてある」

「それもおおげさすぎる！」

それ、未来予知でもできる人がいないとおかしいだろう。

「ちなみに誕生日はいつか書いてある……？」

出現の仕方がおかしくても、誕生日の記述があればそれはそれでいい。

「『五月七日説・五月八日説・五月九日説・五月十日説・五月十一日説・五月十二日説・五月十三日説・五月十四日説・五月十五日説・五月十六日説・五月十七日説・五月十八日説・五月十九日説・五月二十日説の十四の説に大きく分かれる』と書いてある」

「幅が二週間あるだけじゃん！」

肝心の日付はわからないままか……。

「でも、進歩はあった。これで五月のいつかということだけはほぼ確実になった」

「うん。それぐらいだと私もわかってた」

五月のどこかだったはずという程度の記憶はあった。

フラタ村には生まれた直後から何度も訪れているから、五月のカレンダーがかかっていたことは覚えていたのだ。

「あれ、その本ってギルドの記録を使って書いたんだよね。だとしたら、ギルドの記録には誕生日が書いてあるんじゃない？

「『実はギルドの記録は資料整理の時に紛失してしまったので参照できず、読んだことのあるという職員の記憶を元にした』と書いてある」

「信憑性が怪しくなってきた！」

「困った。一次資料がない。職員の記憶が間違いかもしれない。もしかしたらギルドの記録などなかった危険すらありえる」

歴史学に詳しいシャルシャがシャルシャらしい解説をしてくれた。

「まさにそうだよね……。これは素直に信用できないな。ていうか、こんな神々しい誕生をしたのは絶対にウソだしな」

「偉人の誕生は脚色されるもの。母さんは偉人だとして誇っていい」

「いやいや、ドヤ顔してる親はファルファやシャルシャも嫌でしょ？」

「ファルファは、いつものママじゃなくなるのは嫌かな」

うん、単純に親の性格が変わったら娘が困ってしまうのだ。

こういうわけで『**フラタ村の歩み**』を利用するのは無駄に終わったようだ。

「じゃあ、五月のどこかに設定するってことでいい？　五月ってことまでは正しいと思うし」

シャルシャが首を振った。

「まだ幅がありすぎる。このほかにも生まれがわかるものはあるかもしれない」

このあたり、シャルシャはこだわりがあるな。

「ファルファ、いい案があるよ〜♪」

ファルファがぴょんぴょんジャンプしながら手を挙げた。

「ふうん。いったい何？」

「メガーメガ神様だったら知ってる気がするよ～！　ママと仲がいい神様だもん！」


それだ！

私を転生させた本人に聞けば、これほど確実なことはあるまい！


私は公民館を出ると、メガーメガ神様を祀る神殿に行った。

元々は敷地全体がミスジャンティー神殿だったのだが、そちらのほうは、今は隅っこでひっそりと営業している。神も精霊も人気商売の部分がある。

神殿に行くと、今回はメガーメガ神様が普通に出てきた。

「はいは～い。最近よくお会いしますね～」

ファルファが私の誕生日を知りたい旨を話した。

「なるほど～。そういうことですか。じゃあ、ちょっと待ってくださいね～」

神殿内の棚からメガーメガ神様は何か取り出した。

「わ～！　きれいな形だね～！」

それは複雑な形にカットされた手のひらサイズの石だった。

「はい。この石は二十面から成っていて、それぞれの面に1から20までの数字が一つ彫っています」

その説明の時点で私は嫌な予感がした……。

メガーメガ神様がダイスを転がした。

「あっ、10の面で止まりましたね。ということでアズサさんの誕生日は五月十日です！」

「今からキャラクター設定を作るようなことをするな！」

さすがにテキトーすぎる。テキトーにもほどがある。

「え～。でも、誕生日なんていちいち覚えてませんよ。こっちもそれなりに忙しかったですからね」

メガーメガ神様が雑な可能性もあるが、神にとったら個人の転生先の日程までは気にしないものなのかもしれない。

「それに私はいくつもの世界を統括してましたから。世界ごとに暦もバラバラだから覚えていられませんよ。しかも魔族と人間でも暦は違いますし。その他、種族によっては独自の暦を使っているケースもありますし～」

「言われてみれば……」

地球だけとっても中世だとかでは各地域でまったく異なる暦が利用されていたはずだ。ものすごくおおざっぱに言っても太陰暦も太陽暦もあったし、マヤ暦などもあった。

さらにいくつもの世界を管理して、日付までチェックしろというのは無理かも……。

「ねえ、女神様～、ママが生まれた記録っていうのは残ってないの？」

ファルファはまだ諦めてない。たしかに、記録があればそれを見ればわかる。

「それが個人情報保護の観点から、残してないんですよ～」

変なところだけしっかりしている！

「というわけで、私は悪くありません。記録を残さなかった人間の方たちが悪いんじゃないですかね」

神様なんだから居直らないでほしい。

私としては誕生日にずっと興味がなかったぐらいだからショックでも何でもなかったが、シャルシャがっくりきていた。

眠いのかと思えるぐらい、頭が下がっている。

「神様に尋ねるという究極の方法に頼っても、誕生日すらわからない……。歴史学の限界を感じる……」

「まあまあ。それでも五月のどこかだろうってことまでは推測できるわけだし、範囲は狭まったでしょ。無意味だったわけじゃないよ」

私はシャルシャの肩に手を置いた。

やれる範囲でベストを尽くせばそれでいいのだと思う。

「そうよ、シャルシャ。植物も動物もやれることには限界があるのよ。元気出しなさい。咲ける場所で咲けばいいのよ」

サンドラも長く生きてたせいか、シャルシャをフォローすべく優しい言葉をかけてくれた。

「常識的に考えれば温かい時期に発芽しそうなものだし、五月というのは妥当だと思うわ」

「発芽っていう表現はやめろ」

と、今度はメガーメガ神様が別の形のダイスを出してきた。

「この十二面ダイスを使えば、月も決定できますよ」

「さらに幅が広がるようなことはやめて！」

そのあと、帰り道で私は誕生日を決定した。

「五月十七日――が一番可能性が高いと思う。だから、その日で！」


誕生してフラタ村に出かけた日はたしか中旬の後半だった気がする。

その時点では高原の魔女なんて言われて慕われてることもなかったわけだし、ましてレベルMAXで強いなんてこともなかったわけだし、記録している人もいないだろう。これが現時点での限界だ。

「わかった。五月十七日ということにする」

シャルシャがうなずいた。

「うん！　ママの誕生日は五月十七日だね～！　十七日、十七日！」

ファルファも何度もその日を口にした。

「あと一か月ぐらいはあるわね。じゃあ、どうにかなるか」

サンドラがいかにも誕生日に何かありそうなことを言った。

ごめん。まあまあ耳もいいので聞こえてしまうのだ。

これは誕生日のお祝いをするためと考えて間違いないだろうな。

そして、この時期に聞いてきたということは、五月のどこかだろうという程度のことはシャルシャも把握していたのだろう。村の人の中に、高原の魔女は五月頃に登場したなんて伝承があるのかもしれない。

ただ、娘が今日、誕生日の確定をしようとしていたのにはそれ以上の意味があったのだ。


私たちが帰宅すると、キッチンからおいしそうな香りが漂ってきた。

「あら、みんなお帰りなさい。今、お昼ごはんを作ってるから、少し待ってね」

キッチンにはエプロン姿のしたたりの精霊、ユフフママがいた。

「ママ！　やっぱりユフフママはママだよ！」

「ふふふ～。今日のごはんは鶏肉と野菜をくたくたに炊いたのと、野菜のポタージュと、あと、お米が手に入ったから――おむすびというのも作ってみるわ～」

まさにママの食卓だ！

しばらくして、ユフフママの料理が並んだ。

なかでも目を引いたのが、おむすびだ。

三角の形をしたアレだ。

お米を手で固めれば、そりゃ、おむすびになるのは当然なのだけど、この世界で見るのは極めて珍しいと思う。

それを一個手にとって、口に入れてみた。

「あっ、これはまごうかたなき塩味のおむすびだ。圧倒的な郷愁を感じる味だ……」

私の頭にはユフフママの顔が浮かぶ。

といっても、同じテーブルについてるんだけど。

「よかったわ～。なんか、前にメガーメガ神様って神様と会った時にね、アズサはこの料理を作るとすっごくなつかしがるって聞いたのよ～」

「ああ、そうか、メガーメガ神様が一枚噛んでたんですね」

偶然にしてはできすぎているものな。

私の前世を知らないと、おむすびを作るという発想はまず出てこないだろう。ユフフママは精霊なので、食生活は人間とはまた違うかもしれないが、広い意味ではパン文化圏の住人である。フラタ村だってパン文化圏だ。

お米を食べるということはたまにはあっても、おむすびを作るという概念はなかなか出てこないだろう。

「このシンプルなのがいいんだよね～。本当に塩の味ぐらいしかないのに、ほっとするよ～」

私はしみじみとおむすびを味わっていた。

こんなに落ち着いた気分になったのは久しぶりかもしれない。

メガーメガ神様も基本的にいいかげんなんだけど、たまには粋なことをする。

神様に対して使う表現じゃないと思うけど、いい人ではあるのだ。

――しかし。

みんながみんな、私みたいに喜んではいなかった。

なつかしさを感じるのは私だけだろうが、そういう次元のことではなかった。

お米を食べ慣れてない家族が嫌がっているというのとも違った。

ファルファとシャルシャがどうしようという顔をしていた。

いかにも誤算があったというような表情だ。

なお、いつものようにドラゴン二人は、食べ慣れないお米だろうと気にせずばくばく食べていた。

「ひたすらお米をむしゃむしゃ食べるというのもいいものですね。気合いが入ります」

「口がねちゃねちゃするけど、だんだん気にならなくなってきたのだ。あと、十五個ぐらいなら食べられるな」

米を食べてると、運動部の女子っぽさがいつも以上に強くなるな。

食後、私は洗い物をしていた。

ユフフママに料理を作らせて、さらに洗い物もさせるというのは申し訳ない。高原の家に来てもらった以上はママのほうがゲストである。

もっとも、ベルゼブブぐらい頻繁に来る相手の場合は、話は違ってくるかもしれないけど……。

さて、ユフフママはダイニングテーブルでライカやロザリーと世間話をしていたが――

「ちょっと、アズサの娘たちの部屋でものぞいてこようかしら」

と言って、廊下のほうに向かった。

正直、何かある気がした。

ちょうど私のほうもタイミングよく洗い物が終わってしまったので、なんとなく廊下を歩いてみることにした。

それで、廊下を歩いたら、娘の部屋の前だって通るよね。

うん、悪くない、何もおかしなことなんてない。


「――というわけでね、ユフフさんに手伝ってほしいんだよ」

これはファルファの声だ。

「誕生日も決まった。その日は母さんを最高の料理でもてなしたいと思う」

今度はシャルシャの声だな。

もう決定的だ。やっぱり誕生日のお祝いをしてくれるんだ！

そして、ユフフママが来る日に誕生日のことを尋ねてきたのは——

料理のことでユフフママにアドバイスをもらうためだろう。

料理だけならほかにも作れる家族はいるけど、バレるリスクも高くなるかもしれないし、あと、ライカやハルカラの料理は私もすでに食べているから、バリエーションとしては知っている範囲のものになりがちだ。

なので、ユフフママにお願いするという選択肢になったのだろう。

「もちろん、いいわよ。アズサを喜ばせるためだったら私も全力で応援するわよ〜」

ユフフママの元気な声が聞こえる。かなり大きめの声なので、けっこう響いていた。

「けど、厄介なことになったわね。その稲穂を食べてアズサはなつかしい、なつかしいって顔をしてたんでしょ。それを超えるのは厄介よ」

これは間違いなくサンドラの発言だな……。

「だよね〜、おふくろの味に勝つのは難しいらしいよ〜」

ファルファがママである私と出会ったのは五十歳ぐらいのことだから、おふくろの味って表現を使うの、ちょっと違和感があるな。

「だから、シャルシャたちは何かしら特別な食材を手に入れることによって、この難局を打開することにした」

ん？　なんか話がおかしな方向に動きだしたぞ……。

「ユフフ、超希少食材を私たちに教えて。それをとってくるわ」

話が大きくなっている！

「う〜ん。そうね〜。私の住んでいる近くに『賢者のリンゴ』っていう、神秘的なリンゴがあるらしいのよね」

伝説のアイテムみたいな名前が出た！

「そのリンゴを食した者はこの世界の神秘に触れることができると言われてるわ〜」

なんだ、それ！　食材の話じゃないぞ！

「でも、子供たちだけで行くのは危険もあ――」

「わかった〜！　じゃあ、そのリンゴを探すよ〜！」

「シャルシャたちもそのへんの村人レベルではない。探索は十二分にできる」

「たかがリンゴでしょ。その土地の植物に教えてもらえば簡単にたどりつけるわ」

どうしよう……。娘たちが危ないところに行きそうだ……。

かといって、今から部屋に乗り込んで危ないことはしちゃダメですと言うのもどうかと思う。母親として正しい行為かと問われると悩ましい。

結局、私はダイニングに何食わぬ顔で戻ってきた。

もっともライカは「何かありましたか、アズサ様……？」とすぐに気づいたみたいだったけど。

「まあ、ちょっとね……。判断が難しいことがあったんだよ……」

「ご主人様、判断が難しいって、羊肉を食べるか牛肉を食べるかみたいなことですか？」

フラットルテの判断がしょうもないということはわかった。

「そんな時は両方食べるのが確実なのだ！」

食いしん坊の発想！

「違いますよ。姐さんが言うぐらいだから、生きるか死ぬかって話ですよ」

「ロザリーの考えは考えで重すぎる。そこまではない」

娘がケガをする危険はあるが、ぶっちゃけ、娘を守ることだけなら簡単なのだ。行っちゃダメと言えばいいのだ。

ただ、娘をがっかりさせてしまうんだよね……。

娘をがっかりさせる選択肢は親としてとりたくない。

私はダイニングでお茶を飲みながら少しだけアンニュイな気分になっていた。

たまには私だってそんな気持ちにもなる。たまにだけど。

こういったケースの正解って何かな……？　難しい、本当に難しい……。


しばらくすると、ユフフママが戻ってきた。

「ねえ、アズサ、話しておきたいことがあるんだけど」

ユフフママが首をちょこんとかしげながら言った。だいたい予想はついた。

聞いた話は案の定、「賢者のリンゴ」の生えてあるところに娘たちが行こうとしているということとだった。

「みんな、乗り気でね、私のほうでダメと言えない空気だったわ。念のため、母親のあなたには伝えておこうと思って」

「ユフフママ、ありがとう。そうだね。ユフフママとしても対応が難しいよね」

ファルファたちに危険があることだから、ユフフママも話さないわけにもいかないだろう。

それにユフフママがダメと言っても、そのリンゴについて知ってしまった以上、娘がそこに向かうことはありえた。

となると、私に教えておくぐらいしか手もない。

「あとは母親の私がどうにかするよ。ようは、娘たちの冒険が成功すればいいんでしょ。そしたら誰（だれ）も悲しまずにすむ」

「アズサ、どういうつもり？」


「私が魔法で透明になって、こっそり後ろで娘たちをサポートする！」


ていうか、私のために冒険する娘たちも見たい！

「今回の問題は到達難易度が高いってことだけでしょ。それをクリアできて、食材が手に入れば娘も私もうれしくてウィン・ウィンだから！」

「そうね～。私もいいと思うわ～♪」

ユフフママも手を胸の前で合わせて、同意してくれた。さすがママだけあって、母親の気持ちはよくわかってくれるらしい。

一方で、話を聞いていたロザリーはなんかあきれた顔をしていた。

「姐さん、親バカなところありますよね……」

「それは褒め言葉として受け取ります！」

「まっ、アズサの手助けがあれば、どういうことはないわよ。行くのは面倒ではあるけど、命懸けというほどのことはないしね」

ユフフママもそこまで危ないところなら行かないようにって言うだろうしな。

こうして、私の誕生日のお祝いで食材探しに出る娘の見守りに出ることになりました。

なんか、言葉にするとややこしいな……。

後日。五月某日。

娘たち三人はライカに乗ってユフフママの家へと向かった。

ファルファいわく、

「ユフフさんのところに遊びに行くよ♪」

ということだったのだが、用意が明らかに重装備で、武器とおぼしきナイフまで持っていた。

日本で我が子がナイフを持って遊びに行くと言いだしたら、親としてはグレてることを心配するべきだが、不良と抗争するわけではないので、そこは安心だ。

一方、私はフラットルテに乗って、その後ろを追いかけた。

「どうせならライカと速度対決をしたかったです」

「そんなことしたら、即座にバレるからダメ」

当たり前だけど、ライカとはかなりの時間差を空けて飛行している。

「あ～、後ろからライカを一気にまくって抜いてやりたいのだ」

「追い抜いたらモロバレだから絶対しないでね」

フラットルテはちゃんと私の言いつけを守って、ライカを抜いたりはせず、無事にユフフママの家のあたりに着陸した。

ユフフママの家が近いところまで行って、透明化の魔法を使う。

ついてきていたフラットルテも透明になっている。この魔法って個人だけじゃなく、仲間全体が透明になるらしい。

ちょうど家の前で娘たちが冒険用の装備に着替えていた。

とくにサンドラが革の鎧（よろい）みたいなのを着ているのが物珍しい。

「はーい、みんな、用意はいい～？」

「はーい♪」『準備完了』『いいわよ。ここ、シダ植物が多いから早く移動しましょ」

ユフフママの声に三人が反応した。

「それじゃ、その食材があるという森まで案内するわね」


先頭をユフフママが歩く。

その後ろを娘たちが歩いていく。

さらに後ろを透明化の魔法を使っている私とフラットルテが続く。

何かピンチになるような事態が起きた時は私がどうにかする。

たとえば、モンスターが出現しそうだった場合は、事前に私が倒す。

アシストとしてはそれぐらいでいいだろう。

一時間ほど進むと、深い渓谷の下に作られた鬱蒼（うっそう）とした森が目の前に現れた。

「ここは滝の下の森と呼ばれているわ。このどこかに『賢者のリンゴ』があるの。ここに来るまでの難易度が高いから幻のリンゴと呼ばれているわ」

たしかにユフフママの家に行くのはなかなか厄介だったはずだ。

「そこまで凶悪なモンスターはいないけど、足下がぬかるんでいるところも多いから気をつけてね」

「はーい！　適宜休憩して無理せず安心安全に行きます！」

「安全第一。これが今回のスローガン」

そういえば、シャルシャのつけている兜（かぶと）にその文字が書いてあった。工事現場のヘルメットみたいだな……。

「シダ植物はランクで言うと私より低いからどうってことはないわ。格が違うわね」

植物の中でのマウンティングはよくわからないが、サンドラも気をつけてね。

「じゃ、私はここで戻るわね。それと日暮れまでには必ず私のおうちには戻ってくるようにしてね。そうじゃなかった場合、アズサにも連絡してみんなで捜索するからね」

ユフフママが注意事項の確認をする。

もっとも、私はすでにいるんだけどね。

「じゃあ、フラットルテはユフフの家にいるライカとお茶でも飲んで待機しておくのだ」

ユフフママもこっちに軽く手を振っている。透明になっているけど、追ってきたのは知っているのだ。

「ああ、うん。ライカにもよろしく言っておいてね」

娘たちが出発した。

よし、私も行くぞ。

森は薄暗くはあるが、そんなに動物もいないので、探検にはちょうどよさそうな雰囲気のところではあった。子供が来たら、それなりに楽しめそうだ。

「ファルファたちが住んでいた森とはまた違うね～」

「湿度が高い。ぬかるんでいるところが多いので要注意」

「コケの話だと、リンゴはもっと奥のもうちょっと水はけがいいところにいるらしいわ」

もしや、サンドラがいると、リンゴの場所もわかるのでは……？

だとすると、迷うことはない気がする。難易度、大幅に下がったな。

いやいや、迷わないからといって危険がないわけじゃないし、帰路は植物もわからないおそれもある。まだ油断をしちゃいけない。

その時、いきなりファルファが後ろを向いた。

私はびくりとした。

見えていたりはしないはずなんだけど。

「姉さん、どうかした？」

「今、背後から変な足音がした気がする。でも、ファルファの勘違いだったみたいだね」

ファルファ、なかなか察しがいいな……。

しばらく行くと、森の中を流れる川にかかる橋があった。

ただ、湿気も多いせいで、縄などは朽ちかけていた。

「これは危ないわね。命綱を結ばなきゃいけないわ」

「だね。結ぶのはファルファ得意だよ～」

娘たちはちゃんとサバイバル的な技術で対策をしていった。ファルファがそうっと橋を渡り、シャルシャ、サンドラが続いた。

おお～！　よくやってる、よくやってる！

拍手をしそうになって私は思いとどまった。

想像以上にみんな、しっかり行動している。

これならシローナがいても冒険者として合格だと褒めてくれるのではないだろうか。シローナは姉に甘いので、何をやっても合格と言いそうだけど。

しかし、私も橋を渡ろうとした時に問題が起きた。

橋の前の注意書きにこんなことが書いてあった。

なんだ、この警告は……。

川を渡るぐらいなら空中浮遊の魔法でも対処可能だし、一度川に下りて崖を登ってもいいんだけど――

煽（あお）られているような気がして、私は橋を渡ることにした。

私も十七歳ぐらいの見た目なのだ。過剰なダイエットは反対だけど、まったく太ってもないし、この橋だってクリアできるはず！

まず、第一歩。

ピリリッ……。

嫌な音がしたと思ったら、橋が落ちた！

げっ！

私はすかさずジャンプして対岸に跳び移った。

このあたりは運動能力が高くて助かった……。普通の十七歳なら転落していたはずだ。

娘たちが一斉に橋のほうを見ている。

まずい！　気づかれたかな……？

「ついに橋に限界が来た。危ないところだった」

よかった。橋の劣化だと思われているようだ。

「すぐ落ちるような感じはなかったわよ。案外、イノシシでも歩いて、重量オーバーで落ちたんじゃないの？」

サンドラ！　失礼だぞ！　そんな重くないぞ！　あくまでも橋が弱くなっていたから壊れたんだぞ！

文句を言いたいけど、当然、言うわけにはいかない。

「帰りはあの橋は使えないね。でも、大丈夫！　ロープも鎖もあるし、川にも降りられるよ」

結果的に娘たちの難易度を上げてしまった……。

これじゃ、迷惑な親だな。いやいや、むしろ崩壊寸前の橋を崩壊させることによって、娘たちが帰りに使用するリスクを阻止したと考えよう。そうだ、そういうことにしよう。

十五分ほど進むと、前方に巨大な岩のかたまりが見えてきた。

一つの岩がドーンとあるわけではなくて、いくつもの岩が谷を埋め尽くしている。

これ、もっと行きやすい場所にあったら観光名所になってるだろうな。けど、これを進んでいくとなるとなかなかつらそうだ。

「この隙間(すきま)を潜って進んでいけ――とコケが言ってるわ」

「そうだね。この岩をクライミングして進むのは大変だもんね」

「過去に来た冒険者の注意書きのようなものもある。この方向で間違いはないと思われる」

少し危なそうだけど、相当長い間、崩れたりもしていないようなので、大丈夫なのだろう。

最後尾のサンドラが岩の中に入っていったところで私も近づく。娘を見守るためには、離れすぎるわけにはいかないのだ。

だが、またしてもイラッとくる注意書きの看板が置いてあった。

……まっ、私は「ものすごくやせてる人」に該当するから、問題ないな。ダイエットしてるわけじゃないのに、すらっとした体型なので大丈夫なんだよね。

岩の中をするすると入っていった。

途中、岩の隙間を下りていくようなところがあった。距離は知れているし、奥のほうで光ものぞいているけど、こういうのも一種の洞窟に当たるのかな。

そこでアクシデントが起きた。

体が引っかかった。

なっ！　どういうこと？　私は客観的に見てもやせてるほうだよ！　私がダメなら、子供以外通行禁止って書くべきだよ！

私は岩と岩の間でもがいた。

偶然、服がはさまっただけとかかもしれないからね。それならノーカウントのはず！

サンドラがこちらを振り向いた。

私はぴたりともがくのをやめた。

「何かサルでも引っかかってバタバタ動いた気がしたけど、何もいないわね」

また失礼な勘違いをされた。

「こんなところにサルなんているのかな？」

「リンゴの木があるということはサルがいる可能性はある」

ちょっと動きを止めよう……。異常がないか調べに来られるとまずい。

サンドラの姿も見えなくなって、私はまたもがいて――


結局最後は岩を少し殴って削って脱出した。


「べ、別におかしなことはしてない……。こんなの子供以外、だいたい引っかかるし。岩のほうが悪い。あるいは注意書きが悪い」

もしやこの森の難易度の高さってこういうところのせいなのだろうか。

ここだって、岩の間を潜れるなら簡単に先に行けるけど、岩が積もってるようなところを登って行けとなれば、途端に大変になるぞ。空中浮遊ができない冒険者は完全にロッククライミングになる。

逆に言うと、娘たちだとむしろ簡単なのかも。

今のところ、娘たちは何も苦戦していない。モンスターに遭遇するなんてこともない。

むしろ、私だけが苦戦している……。

私はまた娘たちの後ろにそうっとつけた。

「リンゴなかなかないね～」

「対価はそう容易には得られない。やむをえない。それに母さんへの誕生日を祝うにはこれぐらい大変な苦労をして手に入るものでちょうどいい」

あっ、私の話をしている。

それまで以上に私は気配が出ないように注意した。

「そうね。なにせ、アズサは精霊も神も悪霊も知ってるような人間だからね。ありふれたものじゃ驚きもしないだろうし、珍しくないと」

サンドラもうなずいている。

別に驚きがなくても、娘が誕生日を祝おうとしてくれるだけでうれしいんだけどね。

もっとも、そんなことは娘たちだって百も承知のはずなのだ。

「ママは何をあげても喜んでくれるけど、だからこそ見たこともないものをあげたいよね！」

先頭を行くファルファがぶんぶん両手を振って進みながら言った。

ああ、そうだよね。

私が母親として特殊だから、娘たちも誕生日を祝うことに悩んでしまった面もあるんだ。

普通の人が見たこともない魔族の土地の食材だって、ベルゼブブがしょっちゅう持ってくるし、遠方に行った時にその土地の料理を食べたりもする。

私はそのへんの親よりはるかにサプライズを起こしづらい存在なのだ。

それに、お祝いするなら驚いてほしいというのも人間として自然な感情だ。

私だって、娘にプレゼントを贈る時、どうせなら驚かせたい。

なので娘たちがこの森に来たのもそんなおかしなことではない。

リスクはあるけど、そこは保護者の私がしっかりと見ていればいいことだ。

そのあと、休憩時間などをはさんで、娘たちは確実に先へと向かい――

ついにリンゴらしき樹木の生えているエリアに到達した。

なかなかしっかりとした枝ぶりのリンゴの木。実っているリンゴもおいしそう！

しかし、そこには最後の難関が待ち受けていた。

大型のモンスターがリンゴの前にいた。

「シャルシャ、あのモンスター、ビヒモスであってる？」

ファルファの質問にこくりとシャルシャがうなずく。

「間違いない。湿地ビヒモスという種類。名前のとおり、湿ったところを好む」

サイズだけならゾウぐらいはある。

あれが襲ってきたら、本職の冒険者でも苦戦しそうだ。

ビヒモス側も娘たちにすぐに気づいたらしい。

「ブオーッ！」と威嚇（いかく）するような声を上げている。

私も身構える。

何かあればすぐに娘を守るために飛び出すつもりだ。

できることなら娘に知られずにどうにかしたいというのが本音だけど。

とはいえ。

背後から近づいてくるモンスターと違って、目の前にいるからな。突然モンスターが気絶したら、何かがおかしいと思われるよね。

しかも乱戦なら、どさくさに紛（まぎ）れてぶん殴るようなこともできるけど、ビヒモスは一体だけだ。

ビヒモスが何もないところから攻撃を受けたら、明らかに不自然だ。

いっそ、「ママ、助けて！」なんて言ってくれたら気持ちも楽なんだけどな。

しょうがない。娘の安全が最優先だ。私が気づかれたくないなんてことは、どうでもいい問題だ。

しかし、娘たちの動きは私の考えとはかなり違っていた。

「シャルシャ、サンドラさん、いくよ！」


ファルファの言葉にシャルシャとサンドラはさっと自分の配置についた。

完全に迎撃の態勢だ。

次の瞬間、サンドラが地面に潜った。

「地面がやわらかいから入りやすいわね」

地面を掘りながらサンドラはビヒモスの背後に回り込む。

蔓みたいなものがビヒモスに巻きついた！

ただ、そのまま引きずり倒すような力はサンドラにはないはず。それで、どうする？

でも、それで問題なかった。

ビヒモスが蔓に気をとられて、視線をサンドラのほうに向けた。

そこをシャルシャが矢を放つ。

「一発必中！」

ぶすりとビヒモスに矢が刺さる。

痛みを感じたのだろう。ビヒモスが「ブオオオオーッ！」と声を上げて、体をよじる。

「えいっ！」

今度はファルファがナイフで突き刺した。

攻撃を仕掛けたら、すぐに距離を空ける。ヒット・アンド・アウェイは戦闘の基本だ。そのあたりのことをファルファは知っている。

「二発目も必中」

再びシャルシャが矢を放って、ビヒモスに命中させた。

ビヒモスが攻撃をしようとしても、その足に蔓が巻きついて動きの邪魔をする。

「特別にトゲがついてる蔓にしてみたわ。その分、絡(から)みつくでしょ」

「今がチャンスだよ！」「兵法に忠実にやる」

また回り込んだファルファとシャルシャが攻撃を仕掛ける。


すごい……。

今のところ、見事な連係がとれている。


思わず見とれてしまっていた。

少なくとも、危険な状況というのは発生していない。

押されているのは誰が見てもビヒモス側だ。助(すけ)っ人(と)の必要性は感じられない。

なるほどなあ。

私は心の中でうなずいた。もしもの時に備えて、視線だけはビヒモスのほうにちゃんと向けながら。

娘たちも娘たちで成長しているんだ。

あるいは私に出会う前から相当成長していたのだ。

冷静に考えれば当然のことだ。ファルファもシャルシャもだらだら日々を過ごしているわけじゃない。得意分野は私なんかよりずっと賢い。サンドラだって、今ではそこそこ勉強ができるようになっている。

そんな娘たちは運動のほうだってなかなかのものなんだ。

持久力だとかいったものは体が小さいから劣るだろうけど、しっかりと休憩をはさんで、体力が落ちる問題もカバーしていた。

対策をしたうえで、この場に臨んでいるのだ。

こんな形で娘の成長を見ることになるとはね。

考えてみれば当たり前のことではあるのだけど、私がこれまで見ていた娘の姿は、その一面でしかないのだ。母親だからといって、娘のすべての要素を見られるわけじゃない。

ついにビヒモスが悲鳴に近い鳴き声を上げて、逃げていった。


「やったー！　勝ったよー！」

「大勝利。鬨(とき)の声を高らかに上げたい」

「植物だからって舐(な)めたらダメよ」

本当に見事！　よくやった！

私は思わず拍手をしたらダメだと気づいて――中断した。

で、すぐに拍手をした。

「今、破裂音のような乾いた音がした気がする」

「森の中でそんな現象が起きることはないよ～。せいぜい鳥の鳴き声ぐらいだよ」

よかった……。バレずにすんだ……。自分から知らせるような真似(まね)をしてしまった……。

こうして、娘たちは「賢者のリンゴ」という名前が仰々しいリンゴを無事に獲得した！

帰りは私が橋を破壊したせいで、行きよりはちょっと川を渡るところで手間取ったものの――

無事にユフフママの家まで戻ってきた。

なお、フラットルテには申し訳ないのだけど、少し隠れてもらった。

「みんな、おかえりなさい！　よくやったわね～！」

ユフフママがみんなを順番に抱き締めていた。

私は透明になりながら、やきもきしていた。

私だって、私だって、娘たちを抱き締めたいよ！

◇

そして五月十七日。

私の誕生日当日。

朝、私の部屋のドアをノックする音がする。

ドアを開けると、ファルファ・シャルシャ・サンドラの愛すべき娘たち三人が立っていた。

「おはよう、ママ！　ねえ、ダイニングに来て！」

ファルファに手を引かれるまま、ついていくと、テーブルにはアップルパイが置かれていた。

「母さん、お誕生日おめでとう」

「杉みたいに千年以上生きなさい。まだまだ三百年ちょっとならひよっこだわ」

シャルシャとサンドラに言祝（ことほ）がれた。

まさか朝一番にアップルパイを用意されるとは思わなかったよ。

リンゴを入手したところまで見ていたのに、結局想定外のことをされてしまった。私の想像の域もまだまだだ。

「ありがとう、本当にありがとう！」

私は娘たちにぎゅっと抱きついた。

誕生日なんて長らく気にしていなかったけど、こんなふうに祝ってもらえるなら私も意識しておこうかな。

「本当にうれしいよ！　今度はみんなの誕生日のお祝いをしてあげるから、誕生日教えて！」

しかし、三人は三人とも困ったような顔になった。

「わからないよね……？」

「生まれた場所はカレンダーなどないところだった」

「植物ははっきりした日付なんて気にしないしね」

たしかにこれは難問かも……。

そのあと、話し合ったすえに、五月十七日は娘たちの誕生日でもあることにしました。

それから「賢者のリンゴ」は甘さと酸っぱさが絶妙のバランスのとてもおいしいリンゴだった。

もっとも、娘たちが愛を込めて作ったアップルパイがまずいわけなんてないけどね。


その日のお昼、ユフフママが私のところにやってきた。

私はママと二人で高原を少し散歩した。

「本当によかったわね、アズサ」

「うん、こんなにうれしいことってなかなかないよ。娘からのプレゼントってすごいね」

そんな私の手をユフフママはぎゅっと握った。

「私もアズサがとっても喜んでいて、すごくうれしいわ。こんなにうれしいこと、精霊をやっていてもなかなかないと思うわ」

照れ臭かったけど、ユフフママの気持ちもわかった。

だって、私は娘に祝われたばかりだったから。

「アズサもずっと私の娘でいてね～。お願いね」

「うん。できるだけ甘えさせてもらうよ、ママ」

今度はママと二人でどこか旅行に出かけてもいいかもしれないな。

ユフフママはファルファたちが外で遊んでいるのを眺めている。

「かわいい孫たちのためにも、私もいろいろやりたいわね～」

「孫か……。私が娘なら、そういうことになるか……」

ユフフママは孫がいる年には絶対見えないんだけど、今後とも元気ですこやかに過ごしてほしい。

怪盗の手伝いをした

She continued destroy slime for 300 years

前世の日本と違って空が広いので、ワイヴァーンが飛んでくるとよく見える。

いや、前世でも、山の上でワイヴァーンが飛んでいれば目についたか。高原にビルが並んでいたりしないしな……。

というわけで、買い物の帰り道、私の前にワイヴァーンが降り立った。

向こうも私が歩いているのが上空から見えただろう。

「こんにちは、アズサさん」

まずワイヴァーンから降りてきたのはファートラだった。

「こんにちは。自分で空を飛べるっていっても、ワイヴァーンのほうが速いか」

リヴァイアサン形態での移動は効率が悪いのだろう。リヴァイアサンは速度が出せなそうだし。

「はい。今日はワイヴァーンが空いていたのでそちらを使いました。詳しいお話のほうは、もう一人の方が話してくださるかと」

そして、メガネをかけた、脚が蛇状になっているナーガが降りてきた。

「お久しぶりなのですよ。『古道具　一万のドラゴン堂』の店主にして、鑑定騎士団の一人、ソーリャなのですよ」

これはまた意外な人が来た。私もぺこりと頭を下げる。

「ニンタンの奉納品鑑定の時はお世話になりました」

鑑定騎士団は魔族の騎士団の一つだ。といっても、剣を抜いて戦うというような、騎士的なことは何もしない。今だって武器は何も持ってない。

もっぱら宝物や骨董品の鑑定ばかりをする人たちがこの鑑定騎士団だ。以前に聞いた話だと、魔王直属の部隊だから騎士団という名前がついているんだとか、そんな理由だったように思う。

この人たちは出張鑑定というのを各地でやっていて、一度、フラタ村に来たことがある。

その時の鑑定がきっかけで、ハルカラが博物館を作ることになった。

もっとも、しょっちゅう何かの査定をしてもらわないといけない事態など発生しないので、鑑定騎士団に出会う機会もなかったのだけれど――

「あなたが来たということは、骨董品のことで何かトラブルでもあったんですか?」

「話が早いのですよ。こういう手紙が自分のお店に届いたのですよ」

私はその手紙を受け取った。几帳面にも、魔族の言葉と人間の言葉の二つの言語で文章が書いてある。どこかで見たことのある文字だった。

御社のルクスーダ支店の倉庫に
マコシア負けず嫌い侯の描いた
絵画があるという情報を知った。
魔王アンザイが傘を買った記念日に
忍び込んでちょうだいする。

※もし不都合があれば下記にご連絡ください。
ヴァンゼルド城下町第八区
花崗岩(かこうがん)ガーゴイル通りと鷹匠(たかじょう)通りの角にある
四階建て集合住宅の二階の手前の部屋　キャンヘイン

怪盗キャンヘイン

「また、あの怪盗か！」

怪盗キャンヘインはダークエルフの泥棒なのだが、ぶっちゃけ、怪盗と言えるような要素がほとんどないぐらいに泥臭い。

だいたい、この怪盗の目的は遠い親戚に当たるマコシア負けず嫌い侯に関係するものを処分することなのだ。盗んで儲(もう)けるという発想がない。

でも、怪盗って別にお金儲けが目的じゃなくてもいいのかな……？　怪盗の事例なんてあまり知らないからよくわからないや。

あと、この怪盗はものすごく律儀でもある。

「連絡先の住所書いちゃってるじゃん……。そこは隠そうよ」

魔族のほうの法律は知らないが、向こうの警察みたいなものに逮捕してもらおうと思えばできるのではないか。

それと、エルフ出身でも魔族の土地に住んでるケースもあるんだな。怪盗をやってたから人間の王国にいられなくなったりしたのか……？

「あの、もしよろしければ、歩きながら話しませんか？」とファートラが言ったので、それに従って、高原の家に向けて移動を開始する。ここで話が終わったとしても、家でお茶ぐらいはお出しするべきだしね。

「ええと、まだ依頼だとは聞いてないんですが、先回りしてこちらから聞きますね。この怪盗から倉庫の商品を守ってほしい――ってことでいいでしょうか？」

なんでわざわざ私に依頼するのかという疑問は残るが、予告状を見せられたということは、そういうことなのだろう。

ましてソーリャの本職は骨董品の店主だし。

あのキャンヘインだったら、とくに警備をしなくても防げそうな気もするけど……念には念を入れたいと骨董品の店主が考えてもおかしくはないだろう。

「ああ、近くはあるのですが、少し違うのですよ」

足が蛇状態のナーガのため、ずりずり地面を擦りながら、ソーリャが言う。

それからこう付け足した。

「手伝っていただきたい対象が逆なのですよ」

「逆？　逆ってどういうことですか？」

足を止めかけた私にファートラがもう一通の手紙を差し出してきた。

私はそれを受け取って読む。

高原の魔女アズサ様へ

フラタ村では大変お世話になりました、
怪盗のキャンヘインと申します。
『古道具　一万のドラゴン堂』
ルクスーダ支店の倉庫に
忍び込もうと計画しているのですが、
倉庫の防御が極めて高く、
自分の能力で到達することは困難です。
つきましては、誠に勝手なお願いですが、
高原の魔女アズサ様にご助力を
いただくことはできないでしょうか？
料金のほうですが、先払い
十五万コイーヌでいかがでしょうか？
なお、この手紙は高原の魔女様に
つてのある魔族にお渡ししています。

怪盗キャンヘイン

「怪盗からの護衛依頼が来てるっ！」

私の声が高原によく響いた。

それなりに高原の魔女という名前は（不本意ながら）知られているようだけど、怪盗に助けを求められたことはなかった。というか、普通は一生で一度もない。

「というわけなんです」

ファートラが淡々と言った。どういうわけなんだ。

「問題がなければ手伝っていただけませんか？」

「いやいやいや。理屈だけで見ると、これって犯罪に協力しろってことだよね？　私、犯罪者になりたくはないよ！　しかも、目の前にお店の店主も来てるわけ……だし……」

私の語気はだんだん弱くなって、目はソーリャのほうに向いた。

よく考えたら、ソーリャがここにいる時点で何かおかしいのだ。

「お店のほうでは何も問題はないのですよ。お店公認なのですよ」

「でなきゃ、あなたがここにいないというのはわかるんですけど、なんで認めたんですか⁉」

とにかく理由がわからない。

「それは話せば長くなるのですよ。続きはおうちに入ってからでいいですか？」

そういえば、高原の家が近づいてきていた。

話せば長くなるということは、ソーリャと怪盗キャンへインの間になにかしら複雑な人間関係や因縁でもあるのだろうか？

たしかに、骨董品のお店と怪盗だ。なにかあってもおかしくない組み合わせだ。

「わかりました。じっくり聞かせてもらいます……」

謎の依頼をされていることだけは確実なようだ。

◇

私がお茶を入れて、続きを聞くと、ソーリャはこう言った。

「この怪盗さんが入る予定なのは、ルクスーダ支店の倉庫なのですよ。ヴァンゼルド城下町の本店から離れているのですよ」

鑑定騎士団に所属するぐらいの人だから、支店もあるだろうな。

「そして、定期的に倉庫の掃除は必要なのですよ。なので――」

「なので」と私は繰り返した。

「――この怪盗さんを掃除担当だと思うことにしたのですよ」

ん……？　どうも話が私の想定から外れている。

「あの～、あなたと怪盗との間にライバル関係だとか、そういうのはないんですか？」

「面識はないのですよ」

じゃあ、怪盗に掃除させたいってだけかい！

「ちなみに予告状に住所が書いてあったので、倉庫掃除という名目での契約書を送ったらサインをして郵送されてきたのですよ。正式な契約行為なのですよ」

それ、ただの清掃スタッフの人！

「でも、怪盗ってことは泥棒なんですよね。掃除しますと本人が認めたって、ついでにいろいろ盗んじゃうかもしれないですって。大損害になりますよ」

「その怪盗さんは価値の極めて低いマコシア負けず嫌い侯のものしか盗まないのですよ」

当たり前のことのように、ソーリャが言った。

そういえば、そうだ……。あの怪盗は一族の恥を自分のところで集積して外に出さないことしか関心がないのだ。

「マコシア負けず嫌い侯の品を掃除代と考えれば、決して損ではないのですよ」

「掃除代って言っても、怪盗がホウキ持ってホコリとってくれるか、わからないじゃないですか」

怪盗も呑気(のんき)なら、骨董品のお店側も呑気だ。

いや、キャンヘインなら掃除するのかな……。律儀だもんな……。

「いえ、ホコリより厄介なものが倉庫にはあるのですよ。掃除にはそちらも含まれるのですよ」

そこで、ソーリャはゆっくりとカップを口につけた。振る舞いはなかなか優雅だ。

「倉庫というのは、ミミックというモンスターが湧(わ)くのですよ」

「ミミック⁉」

聞いたことがある。

宝箱だと思って開けたら、がぶっと嚙みついてくるような存在だ。

「そのミミックが骨董品がずらっと並んだような倉庫では湧きやすいのですよ。あっ、近頃は人間の土地にはめったに棲息してないので、こっちの博物館などは安全なのですよ」

よかった。ハルカラが博物館の整理に入って、がぶっとやられると大事になるところだ。

「この倉庫はめったに誰も立ち入らない、たどりつくだけでも高難度の場所なのですよ。一方で、ミミックが増えすぎているので、ある程度退治しなきゃいけないのですよ」

「それで、怪盗が入ってくれればちょうどいいと」

こくりとソーリャはうなずいた。

「何匹駆除してくれなんて具体的なことは契約に書いてないですが、ミミックから攻撃されれば、怪盗さんもやっつけるはずなのですよ。たまの掃除としてはそれで十分なのですよ」

そこで、「しかし」とファートラが口をはさんだ。

「キャンヘインさんだけでは力不足なんです。ミミックに囲まれて命を落とすおそれもあります。人気のない倉庫となれば、助けも来ませんし」

「怪盗が助けを呼ぶ時点で、もういろいろ終わってる気はするけどね……。それで、私に依頼を出してきたのか……」

話はわかった。

私は怪盗からは護衛を、そして骨董品のお店からはミミック退治を頼まれているようなものなのだ。

少なくとも、怪盗と骨董品のお店は利害が一致している。

「でも、この護衛も、私じゃなくても魔族の誰かでよくない？」

「護衛役が倉庫で窃盗を行うと困りますから、顔の知れている人のほうが安全なんです。高いものはたくさんありますから。アズサさんがお金儲けをする気持ちがないのはよく知っていますので」

ファートラの言葉に、私はため息をついた。

わかりはするが、ようは面識のある奴にやらせたほうが無難だよなということだろう。

「問題がないようでしたら、倉庫のあるルクスーダという町まで来ていただきたいのですが」

ファートラ、落ち着いているようでいて、意外と押しは強いんだよな。遠慮ばかりでは仕事が回らないということをよく知っているんだろう。

面倒ではある。面倒でないわけがない。

しかし、鑑定騎士団の人たちにお世話になったのは事実だ。

ハルカラが博物館を作るとまでは思ってなかったけど、価値がわからないのでは我が家を奉納品がずっと占領するおそれもあった。

鑑定騎士団は無料で査定をしてくれた。その分の埋め合わせはしたほうがいいか。

「じゃあ、やるよ。そんな長引く仕事でもなさそうだし、さくっと終わるでしょ」

「ありがとうなのですよ。じゃあ、あなたにこれを差し上げるのですよ」

ソーリャは私に金属製の勲章のようなものを渡してきた。

「なに、これ？　骨董品かなにか？」

「それは鑑定騎士団の紋章のブローチなのですよ」

「はい、アズサさんも一時的に鑑定騎士団ということになります」

ファートラがそう言って、ぱちぱち手を叩いた。

「おめでとうございます。アズサさん。騎士団入りですよ」

「長生きしてると、騎士団になることもあるか……」

最近、物事を受け入れる度量が広くなったというか、諦めがよくなった気がする。

アズサ、騎士団に入りました。

「それでは鑑定騎士団の一員として、しっかり働いてほしいのですよ」

「はいはい……。なんか名ばかり店長みたいな感じがあって嫌だけど……」

「倉庫にたどりつくのも、倉庫を攻略するのも大変だと思うのですが、あなたなら大丈夫なのですよ」

そういや、さっきもたどりつくのが難しいというようなことを言ってた気が。

「あの、まさか、倉庫そのものが断崖絶壁にあるだとか、とんでもない地下にあるってことはないですよね……？」

ソーリャはお茶を飲みほして、カップを置くと、こう言った。

「倉庫なら、ちゃんと町の中にあるのですよ」

じゃあ、たどりつくのは楽だと思うけど、どういうことなんだろう？

◇

後日、私はルクスーダという魔族の町にやってきた。

無数の水路が町の中を流れている。景色としてはかなりかっこいい。観光で行きたくなるぐらいのクオリティだ。

で、約束の待ち合わせ場所にその人物はいた。

「ふはははははっ！　余は怪盗キャンへインだ！　――高原の魔女さん、今日はご多忙のところ、わざわざおいでいただき、まことにありがとうございます！　本日はよろしくお願いいたします！」

「偉そうなのか、丁寧なのかどっちかにして！」

「今日も華麗に盗んでやるぞっ！　――これはお土産のお菓子です。つまらないものですが、どうぞ……」

「威勢のいいことを言った直後に、手土産を渡すのやめろ」

そういえば、以前に見た時もこんなどっちつかずのキャラだった気がする……。

きっと根は真面目（まじめ）な人が、無理をして怪盗なんてものをやっているせいだろう。

「いやあ、マコシア負けず嫌い侯の関連商品が『古道具　一万のドラゴン堂』の目録にあることを先日発見しまして、それでぜひとも乗り込もうと思ったのですが、余一人では限界があると感じ、店主のソーリャ氏に手紙を送り確認をとったのですが」

「店主に問い合わせるな！」

そんな泥棒があるか！　正直者にもほどがある。

「いえ、これでも事前に確認しただけ、大きな進歩と言えないわけでもないのであって、その……」

「そういえば、あなた、『後出し予告の奴』って言われたりしてたような……」

怪盗としてのかっこよさと確実性を天秤（てんびん）にかけて、入手してから予告状を送るという変な行動をとっていたらしい。

「ソーリャ氏は魔王様直属の鑑定騎士団ということで、魔王様ともつながりがあり、それで話がリヴァイアサンのファートラ氏に行き、そこから高原の魔女アズサさんを紹介いただいたという次第です」

「ああ、またペコラのネットワークなのか……」

鑑定騎士団は魔王直属の部隊なのだ。そりゃ、私が指名されるわ。

「余の見事な雑草魂の盗難テクニックに、アズサさんの暴力があれば百人力です」

「暴力って形容するのやめろ」

それと、怪盗が雑草魂って言うな。怪盗は華麗なものだ。

「まあ、いいや。それで、倉庫は町のどこにあるの？」

そういった情報を私はもらっていない。ソーリャはそれ以上教えてくれなかったのだ。内容からしても、怪盗が用意するものという気もするし。

「倉庫は舟を使って水路を通らないとたどりつけないようになっています。なので、まずは舟に乗る必要があります」

おっ、舟で乗りつけるのか。そこは怪盗らしいかも。

「ただ、余は船舶免許を持っていないので、舟の操縦ができないため――」

「そこは法律を守るんだ!?」

やっぱりこの怪盗、いい人だ。いい人というか、小市民的だ。

「船舶免許をお持ちの方にご協力を仰ぎました。あそこの舟の係留地点にいらっしゃいます」


水路のほうに向かって七段ほどの階段が伸びていた。これで船着き場のところに下りていくのだ。

で、下りていくと声がかかった。

「あれぇ、アズサさんじゃないですかぁ」

この間延びした声は……。

人魚のイムレミコ船長がそこにいた！

「船長、幽霊船はどうしたんですか？」

「あの船はぁ今、ドックに入ってメンテナンス中ですよぉ。それでぇ水路を移動するお仕事があるということでぇ、来ましたぁ」

このあたりの人選、すべてペコラが関わっていると考えれば、おかしくはないか。

私も面識がない人と仕事するよりはいいや。

数人乗りの舟にはスケルトンたちがオールを持っていた。

これで、水路を進んでいくのだろう。

私もキャンヘインも舟に乗る。

「ではぁ、出発しますよぉ」

舟は水路を軽快に動き出した。

「こうやって景色を見てると観光船みたいだな」

町の様子が舟から楽しめる。

「ふはははっ！　余は今から倉庫に見事盗みに入る！　――お昼過ぎには入りたいと思いますと先方には伝えているので、それまでには到着したい！」

無駄なところで律儀！

それは性格的なものだからいいのだけど、早目に聞いておきたいことがあった。

「倉庫って水路のどこにあるの？」

「ふははははっ！　知らん！」

は？

私は怪盗キャンへインの肩に手を置いた。

「待って。知らないってどういうこと？　知りもせずに倉庫に行くつもりなの？　むしろ、どうやったら着くと思ってるのか聞きたい」

「あっ、怖いので手を置くのやめてもらっていいですか……？　しかるべき理由はあるので、今から説明いたします。説明責任はきっちりと果たしていきたい所存です」

「だったら最初からそう言いなさい」


そして、キャンへインは事情を話した。

「この水路は複雑な網の目状になってるんです。で、それをある特定のルートの通りに進まないと、舟はまた最初のところにループして戻ってきてしまうんです」


「昔なつかしのゲームにそんなのあったな！」

「お店の店主も、そのルートと倉庫内部の図面に関しては機密なので教えられないということでして。ルートを自力で見つけだして、盗みに入るのは構わないが、地図を作成した場合は流出の危険があるので必ず破棄してほしいと言われています」

「そっか。厄介だな……。あれ、でも掃除の契約は結んでたんだよね？」

「地図を紛失されそうで怖いから渡せないと先方から言われました」

「怪盗としての信用がない！」

「いいえ、仮にも怪盗を名乗るなら、地図なんていらないだろうと言われました」

「そう言われれば、そうか……」

ソーリャがたどりつくのがどうのこうのと言っていたのは、こういう理由か。

ルートを発見してしまえば到着は簡単だけど、それがわかるまでは下手すると、山の頂上なんかより到達が難しいかもしれない。

「そこは心配いりませんよぉ！」

イムレミコ船長の声が聞こえた。

小さな舟だから、会話は全部聞こえる。船長にも聞こえただろう。

でも、怪盗なんだから、もう少し聞こえないように意識してほしくもある……。

「つまり、ルートを覚えていけばたどりつけるわけですよぉ。わたしの頭脳にかかればすっかり暗記できますよぉ。船舶免許の筆記試験もたったの七回で通りましたぁ！」

今度は、私は船長の肩に手を置いた。

「待って。六回は落ちたってことですか？」

「失敗を恐れない心、それが船長には必要なんですよぉ」

いいこと言ってるみたいだけど、なにかが違う気がする。

「おお！　イムレミコ船長もいいことを言うではないか！　余もカギを開けることができずに何度もへこたれたことがある！　番犬に何箇所も噛まれたこともある！　それでも怪盗をやめはしなかったから、今がある！　諦めぬ心が大事だ！」

口には出しづらいけど、無能な人同士で意気投合している気がする！

大丈夫かな……。まあ、永久に水路をさまようってことはないだろうから、どうにかなるだろう。それに過去に何度も失敗してようと、イムレミコ船長は船舶免許を持っているのだ。つまりプロなのだ。

プロなら、水路の把握だってどうにかできるだろう。


――で、一時間後。

「ここはぁ、来たことある気がしますねぇ」

「最初の舟の係留地点だよ！　また戻ってきてるよ！」

やっぱり私たちは水路で苦戦していた。

もっとも、これは船長の責任だけじゃない。

途中、あみだくじみたいに水路が分岐しまくっているところがあるので、選択肢もかなり多いのだ。しらみつぶしに確認していくとしても嫌になるような回数が必要になる。

オールを動かすのは船長の部下に当たるスケルトンたちだから、こっちは疲れないものの、失敗続きで心理的には苦しくなってきている。

「これは今日中に到着するのは無理かな……」

「はっはっはっは！　長い人生、たまには迷うのもいいだろう！　それもまた一興！　一本道の人生なんて面白くない！　迷い、迷って自分なりの答えを見つけ出してこその自分の生ではないか？」

いいこと言ってるのはわかるが、少しイラッとする！

「ねえ、キャンヘイン、あなたも怪盗なんだから、なにかしら怪盗らしいことはできないの？」

だんだんと暇になってきたので、キャンヘインに話を振った。

最初は物珍しかった水路からの光景も、もう見飽きている。

「そうであるな。予告状を出すことが多いが、字が達筆だと評判である！」

「怪盗要素がない！」

「たまに字が下手で恥ずかしいという者がいるが、大切なのは丁寧に書こうという気持ちだ。下手であることより雑であることのほうが問題である。相手に伝わるように心を込めて書けば、いずれ上達するものよ！」

「字が下手なのより上手いほうがいいだろうけど、筆跡で誰が書いたかバレていいのかな……」

「書くのは大半が予告状だから、バレたほうがいい。それに余は逃げも隠れもしてない。住所も公開している」

「それで逮捕されてないの、単純に怪盗的なことはなにもしてない証拠では……」

そんな話をしているうちに、とある異変が起きていた。

船長がいない。

オール係のスケルトンたちはいるが、船長の姿はどこにもない。

「えっ、どういうこと……？　まさか舟から落ちた？」

「お、お、お、お、落ち着くがよい！　水路は流れもよわわわわわわ！」

「怪盗なのに緊急事態にも弱いんかい！」

人魚だから落ちても無事だとは思うけど、なんでいないのかが気になる。水路に凶暴なモンスターなんていないだろうな……。

私とキャンヘインが水路に目をやると――

ざばぁん、と船長が水路から出てきた。

「いい魚がいたのでぇ、獲りましたぁ」

たしかに手には魚が握られている。しかも両手に一尾ずつ。よくあんなぬめぬめしたものを握れるな。

「この魚は活きのいいのを、すぐに焼くと、おいしいですよぉ」

「あの船長、舟から出る時は事前連絡をください……。船長が行方不明の舟は困ります……」

「食べませんかぁ？」

船長が魚をこっちに突き出してきた。

どちらかと言うと食べたかったので。炎の魔法でさっと魚をあぶって、キャンへインと食べた。

塩とお皿は船長がなぜか常備していた。よく魚を振る舞うらしい。

「おおお！　これは美味ではないか！」

「うん、いける！　身がほくほく！」

「これでも人魚ですからねぇ。ちょちょいのちょいですよぉ」

船長もドヤ顔をしている。

「船長の面目躍如ですよぉ。えへん、えへん」

成果ではあるから威張っててもいっかな。

「水路のコースが見つからなくても、プラマイゼロですよぉ」

「それは違う、それは違う！」

魚がおいしかったから問題ないですということにはならない！

だが、私がそれ以上なにか言おうとした時には、

「もっと魚を探しますよぉ」

と言って、また船長は水路に入ってしまった。

「逃げられた！　ほとんど反則だな！」

マイペースなのはいいけど、倉庫に行けないとどうしようもない。目的だけは見失わないようにしてほしい。

すぐに船長は水路から顔を出した。

「あの、船長……あくまでも倉庫への道を見つけるということを大前提に──」

「水路の中に変なスイッチがありましたよぉ」

よくわからないことを言われた。

「船長、話をそらさないでくださ──」

船長は「試しにぃ押してみようとぉ思いますぅ」と言って、また潜ってしまった。

「ううむ、なかなか面倒臭いタイプだな……」

「しかめ面をすると、小じわの原因になるぞ。もっと笑うがいい！　あっはっはっはっは！」

「余計なお世話だ！　なんで私が一番目的地を見つけることに真剣なの⁉」

その時──

ガタガタガタガタ！

舟が妙に揺れた。

「なんだ、なんだ！　どういうこと？」

「おおおぉぉぉぉ……！　よよよよよよ……！　沈没か？　助けてくれ！」

「パニックになるのが早い！」

あたふたしていた怪盗の視線が、水路に対して直角の方向で止まった。

もしや岸のほうにジャンプして脱出する気か？　舟に穴が空いてるわけでもないし、焦(あせ)りすぎだと思うぞ。

「横を見るがよい！　これまでなかった水路が……水路がっ！」

水路？　このあたりに横に分岐する水路なんてなくて、岸壁ぐらいしかないはずで――

岸壁だったはずのところが開いてトンネルができていた。

「わあああああっ！　隠し通路!?　隠し通路なの？」

そこに、ざばあっと船長が顔を出した。

「スイッチを押してみたらぁ、ルートが増えましたよぉ。やっぱりくまなく調べてみないといけませんねぇ」

船長は両手を中途半端に振り上げて、どうだという態度をとっている。

うん、その価値があるぐらいのファインプレーだとは思う。ただ――

「こんなの、人魚しか気づけないって！　見つけるの、難しすぎるって！」

私と怪盗だけだったら永久に見つかってないぞ。

で、その隠し通路のトンネルを抜けると、これまでの水路とは違った景観がその先に広がっていた。

これまでは水路の上に建っているのは多くが商店だったりして、人の通りも多かった。だけど、私たちが来ているところはお店もないし、通行人もいない。そのくせ、大きな建物は並んでいる。

倉庫がずらっと立ち並んでいるエリアだ。

「おおおおっ、これは正解に違いないぞ！」

キャンヘインが目を輝かせた。

そんな倉庫群の一角に大きなドクロとナーガみたいなマークのついた倉庫があった。

あそこが『古道具　一万のドラゴン堂』の倉庫だな。

「到着したよ！　ありがとう、船長！」

「わたしはなにもすごいことはしてませんよぉ。ただ、何度も試しただけですよぉ」

船長はまたもドヤ顔しているが、割と言葉のとおりというか、何度も試す以外のことはしてない気がする。水路の移動で超絶技巧なんてものも使いようがないかもしれないけど。

「これでぇわたしたちの仕事はぁ、おしまいでぇす。あとはお二人のお仕事ですぅ」

うん、きっちりと倉庫を攻略しないといけない。

「これはぁ、少しばかりのお土産ですよぉ」

船長は私とキャンヘインになにか折詰のようなものを渡した。

「船長特製の焼き魚弁当ですよぉ。倉庫で迷った時に一息つけてくださいねぇ」

「ありがとうございます！　これは本当にうれしいよ！」

「うむ！　船長よ、恩に着るぞ！　今度、お礼状を送るから住所を教えてほしい！」

そうやってお礼状なんか送るから、どんどん住所を知られるのではと思うけど、今のところ逮捕されてないし大丈夫なのだろう。

◇

私とキャンへインはそれなりに感動的な気持ちで船長と別れて、倉庫に入った。

カギは最初からキャンへインが持っていた。ソーリャから郵送されていたらしい。お店から公認されている。

倉庫に入って一分後、私はふっと立ち止まった。

「あのさ、キャンへイン、ツッコミ入れさせてもらっていい？」

「かまわないぞ」

「船長はいなくても、スケルトンはついてきてるんだね！」

そう、舟をこいでいたスケルトンはそのまま来ていた。

「ああ、船長の話だとな、スケルトンたちは倉庫に興味があるから行ってみたいとのことらしい。移動は遅くないし、迷惑にもならんから問題ないとは言われているぞ」

「うん、邪魔だとは思ってないけど、まあまあ感動的に船長とは別れたから変な感じなんだよね……」

あくまでも別れたのは船長とだけだったらしい。

「それにしても、倉庫って言っても、中身は広い意味でのダンジョンだよね……」

まず全体が薄暗い。

しかも通路は細くてわかりづらい。

洞窟(どうくつ)のようなフィールドとはまた違うが、塔でも攻略しているような気持ちになってくる。

「ここは骨董商の中でも最大手と言えるところであるからな。この程度のことは予想済みだ。それに危険が高くなければ、余も高原の魔女さんに依頼しようとは思わなかった！」

なんか、今回変なところで威張られることが多い気がする。

「ところで高原の魔女さん――この鎧(よろい)は何だ？」

「鎧？　骨董品なんじゃないの？　どれ？」

私が振り向くと、キャンヘインが動く鎧らしきものに囲まれていた！

「早速ピンチになっている！」

「ふん！　お前たちなど、この怪盗キャンヘイン様が…………あっ、刃物を出すのはやめてください。余は血を見るのはダメなんです。痛くないゲームでお願いします」

動く鎧が剣を抜いたら、途端に弱気になった。

これは私が来て正解だったな……。こんなところで死体になられたら困る。

「わかった。私が破壊するよ。殴ったらあっさり壊れると思うし」

私はウォーミングアップのつもりで右の腕をぐるぐる回した。

「あっ、高原の魔女さん、それは待ってくれたまえ！」

「なんで？　自力でどうにかできる目算でも立った？」

キャンヘインは鎧から垂れ下がっているタグみたいなものをつかんでいた。

「『25万コイーヌ』と書いてある！　この動く鎧は売り物だ！　破壊すると買い取らないといけなくなる！」


「まさかの商品⁉」


「申し訳ないが、傷もつけないようにお願いしたい！　でないと違約金を払うことになる！」

「どんな怪盗だよ！」

「怪盗ではあるが、契約上は倉庫の掃除なのだ！　約款にも商品を破壊しないことと書いてある！」

怪盗キャンヘインが契約書を出してきた。出してる場合か。

お店の許可を得ての潜入（？）もそれはそれで問題が多い。

しょうがないので、私は動く鎧の一体を羽交い絞めにした。

「今の間に逃げて！」

「ありがとう、助かった！　……げっ、違う鎧にはさまれた！」

弱い！　この怪盗弱い！

怪盗というと、ルパなんたら三世をイメージしてしまうけど、あんな強靭な人の感覚で接してはいけないのだ。

というか、戦闘力だけだとハルカラより低いかもしれない……。もしや、エルフって種族は肉体的には弱いのかな……。ゲームなんかでも魔法は得意そうだけど、肉弾戦は苦手な印象がある。

私はとりあえず順番に鎧を後ろから抱えたりして止めたり、ゆっくり横に倒したりした。

「面倒だな……。攻撃すれば、すぐ倒せるのに……」

「それだと弁償できません……。なにとぞご容赦を、ご容赦を！」

「もう最初からお金払って、負けず嫌い侯の絵画買ったらいいじゃん！」

「そ、それは……余の怪盗のプライドがそれをさせんのだ！」

「もう、すでにプライドなんてないよ！」

プライドで身を滅ぼしてきた人や、イキりすぎて今更頭を下げることができなくてフェードアウトしていった人とかは前世でもけっこう見てきたけど、ここまで極端なケースは稀だぞ……。

「余が弱いのはわかっている！　それでも、意地を張らねばならんのだ！　意地ぐらいしか余にはない！　だから死ぬまで意地を張り続ける！　生きてる間は勝っている！」

「猛烈に負けず嫌い！」

いや、ある意味、負けず嫌い侯の血を引いていると言っていいのか。

そう考えると、これはこれで一つの人生だと思えてきた。

私は少し笑った。

「うん、じゃあ、好きなだけ意地を張ってもいいんじゃないかな」

「また動く鎧に四方から囲まれてしまった……」

「さすがに弱すぎる！」

せめて素早さぐらいは高い設定でいてほしい。

困ったな。見事に囲まれているから、鎧に傷をつけずに救出するとなると今回は難易度が高いぞ……。

「余の人生に一片の悔いなし！　悔いがないから余の勝ちだ！」

勝手に死のうとするな！　そこまでのピンチではない！

「辞世の詩を詠むぞ。余の勝ちだ　勝ちと言っているんだから余の勝ちだ　負けじゃないから四捨五入で勝ちだ　人生の最期に笑っているならそれは大勝利と言ってよくない？」

「詩も下手！　その詩を遺すと永久に恥が続くよ……」

「そういうのは困る！　誰か代作してくれ！」

「辞世の詩の代作を検討するのが一番恥ずかしいわ！」

しょうがない。鎧を二体ぐらいは破壊して脱出路を開けるしかないか。

まさか倉庫に入った途端に死なれても困るし、今回の鎧がいくらかは知らないけど、弁償できない額じゃないだろう。

だが、そこで意外な伏兵が現れた。

「お、お前たち、余のために……！」

スケルトンが動く鎧にひっついて、鎧の攻撃を止めてくれていた！

キャンヘインはどうにか動く鎧の包囲網を脱出した。

「スケルトン、グッジョブ！」

「ありがとう、ありがとう！　これなら鎧に傷がつくこともない！　買い取らなくてすむ！」

どれだけ買い取りしたくないんだよ……。

スケルトンの一体がこちらに顔だけ向けて、こくこくうなずいた。

おそらく「ここは俺たちが食い止めるから、お前らは先に行けよ」みたいなことを言っていると思う。

「スケルトンたち、お前たちも必ず追いつくのだぞ……。そこでくたばったら承知せんぞ！」

「あの、アツくなる気持ちはわかるけど――」

「スケルトンだから、もうくたばってるのは知っている！　だが、こんな時はこう言うのがマナーだ！」

茶番ぽいなと思ったが……お店から許可を得てる時点で最初から茶番なので、別にいいや……。

◇

私とキャンへインの二人は倉庫の奥へ奥へと進んでいた。

「やはり魔族の骨董商の倉庫だな。余もここまで恐怖を感じたのは初めてだ」

「たしかに、一般人が入れば命がないっていうのは正しいかな」

そのへんの人は動く鎧に囲まれたら終わりだろう。

そして、一般的な倉庫はそんな恐怖を感じるべき場所じゃない。

ここは引き続きダンジョンだという認識でいたほうがいいらしい。

もっとも、本物のダンジョンと比べればモンスターとのエンカウント率は大幅に低い。

動く鎧以外の敵には遭っていない。このまま負けず嫌い侯の絵画のところまでたどりついてしまえればいいいな。

「あれ、そういえば店主のソーリャからなにかお願いをされていたような」

「ああ、ミミックが増えてきているから、どうにかしてほしいという話は、契約書に同封してあった手紙にも書いてあった。契約書にもミミックは商品ではないと書いてあったな」

そうそう、ソーリャはミミック対策でキャンへインを使おうとしたのだ。

「それそれ。ミミックって宝箱に入ってるモンスターってことだよね」

ソーリャにミミックの話を聞いたあとに、シャルシャにも尋ねたのだけれど、この世界でも宝箱の形をしているモンスターで合っているようだ。

「それなら宝箱みたいなのを開けなければいいのか。でも、それだと駆除もできないか。わざと自分から開いて、ミミックに引っかかったなと思われるのは癪(しゃく)だけど、それ以外に手もないな」

もっとも、そんな必要はなかった。

通路を大量の宝箱がふさいでいた。


「隠れる気ないな！」


「どれどれ、余が一つ開けてみるとしようか」

キャンヘインがそうっと宝箱に足を近づけた。

すると、宝箱の一つが自分から口を開けた。

「ガウーッ！　ガウガウ！」

宝箱の中に歯らしきものが生えているのが見える。

「うおっ！　鋭い牙（きば）であるな！　噛まれると痛そうだ！」

倉庫の中で堂々と繁殖しているな。ミミックの生態なんて知らないけど。

さて、これを駆除すればいいのか。

私は氷雪の魔法を使う準備をした。

「魔法陣を描くまでもないか。すべてを凍（い）てつ――」

氷雪の魔法なら、ミミックをピンポイントで攻撃するので倉庫の中でもまだ被害が小さいだろう。

炎は使えないしね。

そう思ったのだけれど――

「ちょっと止める」

私は魔法を中断した。

「え、どうしてですか？　ほぼ確実にここの宝箱の山はミミックですけど」

キャンヘインが不思議そうに尋ねた。私のやってることは依頼を守らないようなことではあるから、自然な反応だ。

「いや、向こうからどんどん襲ってきてたなら倒す理由もできるけどさ、ほら」

私は並んだ宝箱に目を向けた。

そのうち一つだって、箱を開けてかじりついてやるぞなんて態度は示していない。

「ミミックのほうから攻めてきてるわけじゃないんだよね。どうも攻撃しづらくてさ。倉庫の持ち主からすれば、害虫みたいな扱いなのかもしれないけど、気乗りしないってのは事実かな」

一切（いっさい）の殺生をするななんてことはできないし、そんなのはエゴだと言われれば、そうですねと受け入れるしかないと思う。私だって長らくスライムを倒して生計を立ててきたのだ。

生態系を破壊するほどに増えたイノシシを狩ったこともあるけど、それだって殺生ではある。理由があろうと殺生は殺生だ。

あと、ベジタリアンだったら殺生をしてないかというと、そんなことにもならない。そもそも植物だって生きているし、この世界ではサンドラだとかミユだとか植物に近い種族が存在するのだ。

なので、どこかでみんな身勝手な線引きをするしかないのだけど——

このミミックは攻撃しづらいのだ。

「気持ちはわかります」

キャンヘインはこくこくうなずいた。この怪盗はずいぶん優しい心の持ち主なのだ。

「箱ですという顔をしているだけのものを攻撃するのはためらわ――」

キャンヘインの頭にミミックが思い切りかじりついていた！

「痛っ！　背後にもいたのか！　この糞野郎！　死ね、死ね！」

「きっちり襲われてた！　あと、言葉遣いが汚くなったな！」

ただ、キャンヘインがどうにか引き離して投げつけると、またそのミミックはただの箱ですという態度でそこでじっとしていた。もう遅いぞ。

「どうも、余ならかじっていいと思われている気がする……」

野生生物みたいなものだから、相手が強そうかどうかで判断するのか……。私とキャンヘインでは、私のほうが強いのは事実だしな……。

「だが、余を倒せなかったら、余の勝ちだな！」

キャンヘインがポジティブな考え方をする子でよかったと思った。

「高原の魔女さん、ひとまず余は目的の負けず嫌い侯の絵画のところまで向かおうと思う。ミミック駆除はそれから考えてもいいのではなかろうか？」

私の心を読んでくれたのか、キャンヘインはありがたい提案をしてくれた。

「それにミミックの駆除を頼まれたぐらいだから、人の手が入ってないのかと考えていたが、ホコリもほとんど落ちてないし、ずいぶん清潔に保たれている」

「そういや、床も骨董品の表面もキレイだよね」

想像以上にしっかり管理しているようではある。

「わかった。じゃあ、負けず嫌い侯の絵のところに行こう」


私たちはなおも倉庫の先へと進み――

無事にそれらしき絵画のところにたどりついた。

キャンヘインがその絵を出す。一見、ごく普通の風景画だった。

ただ、全体的にのっぺりしている。

「おおっ！　間違いない！　この稚拙な筆致！　平板な遠近感！　独創性がまったくない保守的な色づかい！　絵が鑑賞者になにも語りかけてこない感じ！　全体的に素人が努力したという印象！　確実に負けず嫌い侯の手による絵だ！」

キャンヘインは笑いながら、ものすごい勢いで絵をディスった。

発見してうれしいのはわかるけど、ちょっと怖い！

「よかった、よかった。あっさり見つかったようでよかったよ」

全部チェックするとなるとものすごく大変だからね。

「うむ。これでも余も怪盗であるからな。美術の素養はある。だから、すぐにわかった」

自信を持ってキャンヘインは言った。

「倉庫の絵画の中でも、このあたりは安物ばかりだ。負けず嫌い侯が描いた絵なら必ずこのエリアにある！　貴族が描いたという要素だけで骨董品になっているのだ！」

「本当に先祖をボロカスに言う！」

ある意味、これだけ関心を持ってくれて、負けず嫌い侯も本望ではないだろうか。

「でも、そこまでダメなんだね。私から見ると極端に下手には見えないけど」

前世でも、都市部でやってる個展で飾ってある絵と、美術館でうやうやしく展示されている名作との差までは判断できなかった。見る人が見ると、まったく違うんだろうけど。

この負けず嫌い侯の絵だって、もし娘たちが描いたらすごく上手いと思ってしまう。

「この作品を負けず嫌い侯が発表してから数年後、ほかの画家のパクリであることがわかったのだ」

「いわくつきか！」

「なお、言うまでもないことだが、単純なクオリティでも負けず嫌い侯のほうが低かった。素人が描いたとはいえ、まだやりようはあっただろうと発表当時から言われていたが、パクリとわかって、パクってこのレベルかよと言われた。しかも、負けず嫌い侯は明らかに自分のほうがパクリなのに、オリジナルは自分のほうだと無茶な主張をし続けたのだ……」

そこでも負けを認めたりはしなかったんだな……。

「この絵のせいで負けず嫌い侯は痛々しい人だというイメージが広がった。そして痛々しいことをやった絵という一点だけで微妙な価値を持って、この骨董商が入手したのだろう……。一族の恥だから盗み出す……」

「うん、好きなだけ盗んだらいいよ……」

これは持ち主の許可を得ている盗難なのだ。だから、止める理由もない。

帰路、キャンヘインはずるずるとその絵を引きずっていた。丁寧に扱うつもりはないようだから、別にいいか。

「それにしても、倉庫の奥まで来たが、本当に管理が行き届いているな」

キャンヘインが感心したように言った。

「だね。ホコリすらほとんどないし。これ、すでに掃除業者入ってるんじゃないかな?」

だとしたらソーリャは——掃除名目でキャンヘインに負けず嫌い侯の絵画をあげる機会をくれたんだろうか?

ソーリャにとったら、こんな絵はタダであげてもいいようなものなのだろう。

しかし、それではプライドを重視する怪盗が納得しない。

かといって、勝手に潜入されると、動く鎧やミミックに襲われるかもしれない。

なので、たまには倉庫に人が入ったほうがいいからだとか、ミミックが増えてるからだとかいった理由で私が呼ばれたのではないか。

もっとも、動く鎧に囲まれていたから、一般人が入るとやっぱり命取りになりかねないのか……。

さて、このまま戻ると、またミミックの山のところにたどりつくな。

こっちを積極的に攻撃してこないモンスターを倒したものだろうか。

私とキャンへインはミミックが集まっていたところまで戻り――

ある生態を目撃した。

ミミックはこちらには目もくれず、静かに動いていた。


「なるほどね。こういうことだったんだ」

「高原の魔女さん、倉庫にも一つの生態系ができているのだな」


キャンへインの言葉はおおげさな気もしたけど、まったく的外れでもないと思った。

私たちはしばらく、そのミミックたちを観察していた。

「ああ、そうそう、船長からお弁当をもらってたんだった」

骨董品の並んだ倉庫で食べるというのも場所のチョイスが難しいし、なにより案外あっさり目的の品が見つかったので、食べるタイミングがなかった。

「せっかくだから、余はここで食べたいと思うのだが、いかがか？」

私は快諾した。

お弁当を食べている間も、ミミックたちは静かだった。箱に近づかなければ油断していても狙ったりしないらしい。

ただ、食べ終わってから、少しばかり変わったことがあった。

◇

無事に倉庫から出てきた私とキャンへイン、あと、動く鎧を止めてくれていたスケルトンは舟に乗った。スケルトンは少し壊れていたけど、とくに問題ないらしい。

「そちらのお二人もぉ、いい成果があったようでぇ、なによりですよぉ。絵一枚じゃなくて、なかなかの荷物じゃないですかぁ」

「うん、当初より荷物が多くなったかな。それとスケルトンにも助けられたよ」

船長は私たちが入っている間に、やけに大量に魚を獲っていたようで、舟の隅っこの桶（おけ）で何尾も魚が泳いでいる。

「そうそう、焼き魚弁当はどうでしたかぁ？」

船長が呑気な調子で聞いてきた。

「うん、すっごくおいしかったよ。ミミックたちの横で食べた」

「ミミックの横ですかぁ？」

うん、ウソはなにも言ってない。

無事に舟の係留地点まで戻った私たちは、そこで船長とスケルトンたちと別れた。スケルトンには改めてお礼を言った。

それから、ワイヴァーンに乗って、ヴァンゼルド城下町に店を構える『古道具　一万のドラゴン堂』に行った。

店の看板に巨大なドクロがついているので、すぐにわかった。

ドラゴンと名乗っているくせに、お店の外装にドラゴン要素はなくてむしろお化け屋敷みたいだが、多分日本のお店で考えると、「萬龍堂（ばんりゅうどう）」みたいなネーミングなんだろう。それなら、ほぼ違和感はない。

お店の中はほとんど博物館といった雰囲気だった。ただ、博物館と比べると、物がぎゅうぎゅうに置かれている。展示する場所じゃなくて売る場所だから、目的の違いによるものだろう。

応接室で待っていると、ソーリャがやってきた。

「お疲れ様なのですよ。よく、あの水路をクリアできたのですよ」

たしかにあれは嫌になるかもな……。この人、倉庫を発見できなくて引き返すかもって考えてたんじゃないか……？

「あの支店の倉庫は行くのも面倒だし、長らく入っていないのですよ。ホコリだらけでご迷惑おかけしたと思うのですよ。おそらくミミックも増えてひどい有様（ありさま）だったと思うのですよ」

「そのことなんだけど、環境のためにもミミックは駆除するべきじゃないと考えて、そのままにしておいたよ」

ソーリャはどういうことだろうと思ったのか、メガネの奥の瞳をぱちぱちさせた。

「詳しく聞かせてほしいのですよ」

「あの倉庫、ホコリは全然落ちてなかったんだよ」

「え？　そんなわけないはずなのですよ……」


「ミミックがね、舌で床をきれいに舐めてたの。ミミックの餌ってホコリなんだね」


考えてみれば、あの倉庫で食べ物になるようなものはほぼ皆無なのだ。

ネズミや虫ぐらいは棲み着くこともあるだろうが、それもほとんどないだろう。ネズミにかじられた害のあるものも目につかなかった。

だとしたら、ミミックはホコリを食べて棲息しているのだろう。

もし、ミミックがいなければあの倉庫はホコリがうずたかく積もっていたと思う。

もちろん、ミミックよりも攻撃してこないホコリのほうがマシだという判断はありうるだろう。

でも、あそこでは様子見でいいのかなと考えた。

私はそのあたりのことを説明した。

「なるほど。話はわかったのですよ。本店のほうでは人の出入りが激しくてミミックも棲み着いていないから、ホコリに対して効果があるとは知らなかったのですよ」

まあ、倉庫に暮らすミミックというのはそれなりに特例なのか。

「あなたたちの判断を尊重するのですよ。あと、ミミックがホコリを食べるなら、上手くしつければ本店の掃除の手間も省けるかもしれないのですよ」

ソーリャが理解を示してくれたようで、よかった。

「ああ、そのことなんですけど、実は――」

私の言葉に合わせて、キャンヘインが宝箱を一つ、慎重にソーリャのほうに差し出した。

その箱が口を開けた。

「ミミックが何匹か私たちが出る時についてきたんです。よかったら、数体置いてみませんか?」

「ダメなら、空き家を見つけて捨ててこようと思う」

それはそれで自然環境に問題があるのではという気もしたが、魔族の土地のルールは知らないのでなんとも言えない。

そう、お弁当を食べ終えて帰る時、ミミックが後ろから小ジャンプをしながらやってきた。敵意もないようなので放っておいたら、外まで出てきたのだ。舟のほうまで来たので、そのまま舟に乗せて、ワイヴァーンにも乗せた。

もしやミミックってこうやって新しい住処(すみか)を見つけるのかな。

「では、試してみようと思うのですよ。ミミックの生態は魔族もあまり調べてないのですよ」

これでミミックの意外な価値が見つかればそれはそれでいいんじゃないだろうか。

帰りにキャンヘインから十五万コイーヌを渡された。

キャンヘインもミミックを退治してないものの、ソーリャから契約どおりのお金をもらったらし

い。鑑定騎士団は太っ腹だ。

「おかげで、余は一族の恥を一つ回収することができた。礼を言う」

「うん。あんまり無理しないようにね」

「案ずるな。一族の恥が残っている限り、余も生き続けるわっ！」

なんか嫌なアイデンティティーだな……。

ネガティブなことがモチベーションになることもあるので、いちがいに悪いとも言えないのかな。

◇

私はとあるものを持って高原の家に帰宅した。

帰ってきた日、空き部屋になっている部屋に「キケン！　立入禁止！」の貼り紙をした。開けただけでどうにかなることはないと思うけど、念のためだ。

そのあと、私の立ち会いのもとで、子供たちが観察をした。

「あっ、食べてる、食べてる～♪」

「人目がない時の生態は知られてない。これは貴重」

ファルファとシャルシャが、そうっとのぞいている。

そう、一匹だけ骨董品のお店に定着しようとせずに、私についてきたミミックがいたのだ。

そんなについてくるならということで、私はそのミミックを家にまで連れて帰って、空き部屋に置いたのだ。

その結果、ミミックは部屋のホコリを舐めだした。やっぱりホコリを食べて生きていくらしい。

「まだ、あんまり近づいちゃダメだよ。かじってくる危険もあるからね。飼い慣らしていけるかは今後次第」

「それでも、空き部屋の掃除の手間は省けそうだね～♪」

うん、それが一番の目的だ。

どうせなら私とミミックとで、ウィン・ウィンの関係になるほうがありがたい。

あと、生き物は生き物だし、もしかするとペットのように子供たちの情操教育に役立つかもしれない。

空き部屋が一つ、ミミックの部屋になりました。

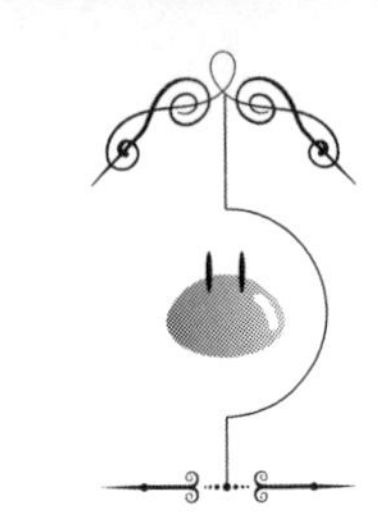

断食（だんじき）で有名な隠者のところに行った

She continued destroy slime for 300 years

「ここに来るの、なつかしいな〜」

「ですね。我はちょっと寒いので苦手なんですが」

「ああ、ライカには悪かったね。早く中に入ろっか」

私たちはモダディアナ山という、木もほとんど生えてない荒涼とした山にいる。

ここに魔法使いスライムのマースラの工房が建っているのだ。

というか、すぐ目の前にその工房がある。

私の手にはいろんなお土産。なにせ、マースラは不便なところに住んでるからね。

お土産を持ってるせいで私の手がふさがっているので、ライカがコンコンとドアをノックする。

すぐにブロンドの髪の女の子がドアを開けてくれた。この子がマースラだ。


「はーい。あらあら、これは高原の魔女さんとそのお弟子さんじゃないですか」

マースラはそんなにリアクションが大きくないので、どこかほっとする。私の周囲ってオーバーリアクションな人が多いんだよね。フラタ村の人たちですら、基本的におおげさだし……。

「お久しぶりです。今日は（義理の）娘がお世話になっているのでそのお礼に来ました」

「娘さんが？　ああ、シローナさんのことですね。そんなのわざわざ気にしなくていいですのに」

そう、シローナはこのマースラに魔法を習ったのだ。

シローナは私がなにも知らない間に誕生して、なにも知らない間に学んでいたわけだけど、それでも（義理の）娘がお世話になっていたのは事実なので、なにかしらのお返しをしないといけないなと思っていた。

私は荷物をテーブルにゆっくりと置いた。

スライムのマースラはほぼ食事もしないでいいので、この工房には台所もベッドもトイレもない。とてつもなくシンプルにできている。

「なにが喜ばれるかさっぱりわからなかったんで、賢スラに聞いたら、こういうアーティファクトがいいって話で」

「へえ。どれどれ。ああ、いい護符じゃないですか。こちらのアミュレットもなかなかのものですね。マナの貯蔵装置もありますし」

一つ一つ、マースラは箱を開けていく。よしよし。これで最大の目的は果たせそうだな。

ライカも「よかったですね、アズサ様」と私のほうを見て言った。私も目でそうだねというサインを送る。

さあ、マースラはどういうリアクションをするかな？

マースラの箱を開けるペースは、途中で一度止まった。

「あら、変わったサプライズですね」

なんだ、ちっとも驚かないな……。

実は箱の中に賢スラが入っていたのだ。

といっても別に賢スラを虐待したとかじゃないぞ。賢スラがついでにマースラのところまで連れていってほしい、アーティファクトを入れる箱に入れてくれればいい――と伝えてきたのだ。

私も「別に箱に入らなくても……」と言ったのだけど、賢スラいわく、たまには狭いところで思索に時間を費やしたいということらしい。

缶詰め状態ならぬ、箱詰め状態。賢スラが窒息死することもないだろうし、箱の中に入れて運んだというわけだ。

ぴょんぴょんと賢スラは跳ねた。元気そうでよかった。スライムの体調ってわかりづらいけど、跳ねている時はだいたい元気とみなしていいだろう。

「なつかしいですね。ワタシも昔はよく箱に入っていましたよ」

「マースラさんも経験があるんですか！」

ライカが私より先にツッコミを入れた。この場で四人中、二人が箱に入っていた経験があるらしい。もしや、スライムにとっては普通のことなのか？

「ええ。とくにお菓子を入れていた箱はいいですよ。お菓子の香りがほんのりしますから」

「思ったより俗っぽい動機なんですね……」

賢スラが言うような、思索がどうとかって理由じゃなかったからか、少しライカがあきれていた。

賢スラはぴょんぴょんとマースラの前でジャンプし続けている。

マースラはそんな賢スラを見ながら、ふんふんとうなずいていた。

「そうですね。いないこともないけど、そこまでオススメというわけでもないですよ。それでもかまわないというなら、場所ぐらいはお伝えできますけど。はあはあ。出会いによって得られるものの多さを世界三大賢者の一人に出会って学んだんですか」

「……あの、どうやってコミュニケーションとってるの？」

マースラの前で賢スラが跳ねているだけだったので、横から失礼して聞いてみた。

「アズサさん、わかりませんか？　今、この方――ええと、賢スラと皆さんは呼んでるんでしたっけ」

「はい。スライムは名前を持ってないことが多いので、かっこいい名前をつけました」

「アズサ様、本当にかっこいいとお思いですか……？」

なんか、弟子が変な反応を示した気がするけど、あれ……私のセンスっておかしいの？

そのことは置いておくとして――

「この賢スラは、今、跳ねながら『ほかの世界三大賢者を知っていたら教えてほしい。ミユミユクッゾコというドライアドの賢者と出会って、非常に勉強になった』と言っていました」

「どこにそんな意味があったの？」

私が質問すると、また賢スラが跳ねた。

「今、少しだけ体をそらすようにして、まああの高さまで跳びましたよね。あれは『ほかの世界三大賢者を知っていたら教えてほしい』という意味を表します」

「わからん！　すべてがわからん！」

だいたい、世界三大賢者なんて特殊な単語、ジャンプ一回に含めるのは無理だろう。

「ワタシたちスライムにはごく普通のことですよ。たとえば――そうですね、賢スラ、例を見せてください」

ちょこんと賢スラが箱から跳ねた。

十五センチぐらいしか上がってないと思う。かなりの小ジャンプだ。

「今のは『言葉は同じ言葉を使う者たちの間でしか伝わらない。それは言葉に限界があることの証拠だ。アルセイ箴言集第五巻より』という意味です」

「それは無理がある！　しかも本の名前まで表現できてるし！」

「我も見ていましたが、不可能だと思います！」

私たち非スライム側は二人とも文句を言った。

「ああ、さすがにスライムも固有名詞まではジャンプだけで伝えられませんよ。でも、今、賢スラは跳ねながらちょっとだけ後ろに突起を出したんです」

賢スラがうなずいたように見えた。じゃあ、正しいのだろう。

「あそこに突起を出すと、一部のスライムの間ではアルセイ箴言集第五巻を意味することがすぐにわかるんです」

「なるほど——とは、とても言えない。通じてるのは事実みたいだけど……」

おそらくだけど、パソコンの辞書登録みたいなものなんだろうな……。

「以前、世界三大賢者の一人のミユミユクッゾコという方に出会って、賢スラは一人で本を読むだけでは得られない、すごく新鮮な気持ちになったのでしょう。学ぶ者同士が出会うことで得られるものがあると感じ、ほかにいい世界三大賢者がいたら教えてほしいと言っているわけです」

マースラの言葉に賢スラがまたうなずいたように見えた。

どうでもいいけど、ミユミユクッゾコというミユのフルネーム、何度聞いても異様だな……。

「そのあたりの賢スラが言いたいことはわかる。でも……賢スラの願いはいろいろ難しい気がする」

「どのあたりがですか、アズサさん？」

マースラがテーブルに手を置いて聞いた。この工房は椅子が一つしかないので、今は全員立っている。客人が来ることを想定しているような立地でもないしね。

「だって世界三大賢者なんてカテゴリーの中でばしばし賢者を紹介したら、すぐにストックは尽きるでしょ。そんなに候補はゴロゴロいないよね」

いや、私だって世界三大賢者にカテゴライズされてる人が三人止まりじゃないことぐらいは知っている。

こういうのは、一位や二位を名乗れない立場のなにかが自分を加える場合によくやる手だ。

たとえば日本だと、日本三大稲荷の中に伏見稲荷と豊川稲荷は確実に入ってるけど三個目をいろんな場所が主張していたと思う……。

そうだとしても、日本三大稲荷を名乗ってる稲荷が何百もあるということはないし、やはり数に限りはある。ていうか、三大○○って言い方自体が、日本のものなんだろうか？　世界の誰でも似たことを考えそうな気もするけど……。

すると、マースラは本棚のほうに歩いていって、その中の一冊を取り出した。

「この『世界三大賢者人物事典』で調べてみますかね」

「すごくマニアックな本があった！」

「この本は世界三大賢者を名乗った人物を約三千名収録しています」

「たしかに事典が必要な人数！」

「さらに五人のレビュアー賢者が、世界三大賢者としてふさわしいかを一人十点満点の合計五十点満点で点数をつけています」

「世界三大賢者かもしれない人を点数で評価するのって失礼なんじゃ……」

「なお、その五人のレビュアー賢者は自分の項目のところはみんな十点満点にしていました」

「全然、信頼できん！」

そういうこと、一番やっちゃダメだと思うぞ。

「まあ、そのような問題点もあるのですが、このおかげで点数を使って頭出しすることもできるんです。四十点台の賢者は大半が故人なんでパスしますね。死ぬとあまり悪いことを言われなくなるというのはよくあることです」

そんなことを言いながらマースラは索引らしきところをめくり始めた。

なにもかもが賢者らしからぬ感じがある。

「一方で、十点台みたいなのはただの自称している痛々しい人なんで、全然ダメです。たとえば、この人は自分が作った会社が大儲け（おおもう）したから自伝本を出して賢者だと名乗ってるだけですし」

「それは収録しなくてもいいのでは……」

この世界の社長も自伝本を作るのか。ハルカラが自伝本を作ろうとしたらとりあえず止めよう。もちろん個人の自由だけど、あとで黒歴史になって頭かきむしりたくなると思うんだよね。

「あの、マースラさん……使い道のない箇所のことはいいので、使えるところを教えていただけないでしょうか？」

ライカも疲れた顔でお願いした。話が脱線気味だ。

「はいはい。三十点台ぐらいが一番信用がおけますね。倹約志向のミルヘント、ひらめき重視のソートーヘン、照れ顔のライカ、悲観主義のナンセテスと……」

「なんか聞き捨てならない項目が混じってた！」

今、ライカっていたぞ。

「ア、アズサ様、落ち着いてください。ライカという名前ぐらい、どこにだっています。たんなる偶然というものです」

ぱらぱらとマースラがそのページを開いた。

「どれどれ。ああ、ナンテール州に住んでるみたいですね。じゃあ、近場じゃないですか。『レッドドラゴン女学院卒。喫茶店で照れていたことから、照れ顔のライカと呼ばれている。精進する心を忘れない』とありますね」

「完全にライカのことじゃん！」

「うわあああ！　どういうことですか？　意味が、意味がわかりません！　しかも我は世界三大賢者を名乗ったことなんてないのに！」

ライカは顔を両手で覆っている。気持ちはわかる！

「ええとですね。十点満点を入れてるレビュアー賢者が一言コメントで『推していきたい。これからも応援しています』と書いてますね」

「たんなるファンじゃん！」

この人物事典に関する信頼度が急速に落ちた。

「まっ、そんなものですよ。こういうのはたくさん名前を載せて、賢者本人が買いたくなるように仕向けるんです。事典は単価が高いから確実に売れる冊数を伸ばしていく戦略は大事なんですよ」

出版ビジネスの闇みたいな話やめてくれ。

「変な社長を収録したのも、社長が十冊ぐらい買って部下に配ってくれればラッキーだなと思ったのではないでしょうか」

「とりあえず、この本の出版に関わった人は賢者を名乗らないでほしい」

この世界の住人、全体的にお金についてがめついんだよな。最近、とくにそう感じることが多い。

「まあまあ。中にはまともな人もいないこともないですから。ええと、『断食のモリャーケー』。総合34点。砂漠でひっそりと断食をひたすら繰り返しているアスファルトの精霊』、この人なんてどうですか？」

突然まともな空気になったな。

アスファルトの精霊というところが気になるけど、たしかアスファルトって天然のものがあって、それは地球でも古代の文明から使われていたはずなので、おかしくはない。

賢スラがひときわ大きく跳ねて、テーブルに載った。

「そうですか。『よさそう！』ですか。それはよかったです」

「やっぱ、ジャンプで伝えられることってそんなシンプルなことだけじゃないの!?」

さっきまでの長文の意味との差がありすぎる。

「もうちょっと項目を読みますね。『モリャーケーを訪ねたい場合は、事前に知り合いの精霊か砂漠芸能事務所に問い合わせよ。アポなしで直接行くことは修行の迷惑になるので控えよ』とありますね」

「なぜ、砂漠で断食の修行をされているのに、芸能事務所と関わりがあるのでしょうか……？」

ライカが首をかしげた。もっともな反応だ。

「きっと、突然やってきて修行の邪魔になる人が多いから、マネジメントしている会社に言ってくれという形をとって、修行の状態を維持してるんだよ。うん、きっとそう！」

私もなにかおかしい気はしてきたが、ライカをがっかりさせたくなかった。

ライカもまあまあ興味を持っているのがわかったからだ。ライカも向上心高いもんな。

ぴょ～～～～ん、と賢スラが天井近くまで跳ねた。

「問い合わせてほしいんですね。賢スラも最近活きがいいですね」

それは私でもわかった。賢スラはとにかくいろんな賢者のところに行きたいのだ。

ライカもその修行をしている賢者に興味ありそうだし、賢スラと一緒にモリャーケーというアスファルトの精霊とやらに会いに行こうかな。

さて、精霊ということだし――

まずはユフフママに尋ねてみようか。

顔の広いユフフママなら、直接のコンタクトをとれないとしてもなにか知っててもおかしくないだろう。

◇

私たちはマースラのところを辞去すると、ユフフママの家へ行った。

「アスファルトの精霊？　そうね～、どんな人だったかしら？」

ユフフママの反応からすると、これはほぼ覚えてないっぽいな。

「精霊って長生きだろうし、数もかなりいるみたいだし、すべての精霊をいちいち覚えてないよね。ユフフママ、変なこと聞いてごめん。素直に芸能事務所とかいうところを当たってみるよ」

「アズサが謝る必要なんてないでしょ。待っててね。書いてそうな本はあるから」

ユフフママが持ってきたのは『精霊事典』という本だった。

「精霊もそういう本があるんだ！」

「ああ、あったわ。『アスファルトの精霊　地属性。人付き合いはどっちかというと悪い』ですって」


ものすごく雑な情報だけが手に入った。


「人付き合いが悪いって、ただの悪口じゃん……」

「しょうがないわ。これは精霊が書いた精霊用の本だから。抜けてる精霊もものすごく多いし。この本は百年以上前のものだけど、千年前の版から改訂もされてないのよね」

やっぱり精霊はいいかげんだということだけが、はっきりわかった。

「それだと、ファルファやシャルシャが書かれることは当面なさそうだね。変なこと書かれるよりはなにも書かれないほうがいいけど」

「我が賢者の事典に書かれてるのに、ファルファちゃんやシャルシャちゃんは精霊の事典に載ってないって、おかしいです」

ライカは勝手に本に書かれていたことがまだ頭に残っているままらしく、ずいぶん不満そうだった。

普段から賢者だと言われてるならともかく、ライカの場合は、とくに本人も家族も地元も誰も言ってないからなあ……。

ライカが疲れた顔なのを見てとったのか、ユフフママがわざわざお肉の料理を作ってくれました。

「オレンジ果汁を入れたソースで味付けしたお肉、なかなかいけますね。ほんのり甘くてほっとします」

「ユフフママの料理って、本当に家庭的な感じがあるんだよね。帰省した気がする」

「二人ともいつでも帰ってきていいのよ」

一緒に同行していた賢スラはキーボード状の文字が並んでいる布を動き回った。

なにか思うところがあったらしい。

「なになに？　『母性を持つことと、実際に母親であるかどうかということはあまり関係がない』か。それはそうかもね」

したたりの精霊と血のつながりがある存在って、いなそうだしな。

そのあとに、賢スラはこう続けた。

「なになに？　『百聞は一見にしかず。一度、砂漠に行ってみればわかることも多い』か。そうだね。その精霊に会ってみよっか」

もちろん、そのつもりだ。賢スラは賢者との出会いを求めているのだから。

そのあと、賢スラはワイヴァーンに運ばれて、魔族の土地へ帰っていった。

帰りも箱に入っていた。

乗ってる途中に落ちると見つけづらいので、箱に入れるほうが安全らしい。乗客じゃなくて、荷物の扱いだ……。

◇

後日、私たちは砂漠芸能事務所なるところに行き、アスファルトの精霊モリャーケーという賢者を訪ねていいかという確認をとってもらった。

さらに後日、行っていい日時の候補と、できれば魔法配信をしている有名な人を連れてきてほしい、配信もしてほしいということを書いた手紙が高原の家に届いた。

ライカにも読んでもらったけど頭の上に「？」が三つぐらい並んでいたと思う。

「なんで魔法配信をしている方が必要なのでしょうか？　魔法配信というと、魔族の方々が中心になってやっている、映像を流すサービスのことですよね。修行とのつながりがよくわかりません」

そう、魔族たちは、なんたらチューバーみたいなことを死者の古代王国の文明を利用して行っているのだ。

いまだに私の家に勝手に映像が流れてくるが、こっちの判断で音を消したり、見ないようにすることができるようになったので、あまり見ていない。むしろ初期の頃は強制的に映像が流されていたのでうるさかったし、少なくともライカの言うようなサービスという概念ではなかった。

「ぶっちゃけ、修行とつながりはないと思う。でも、連絡用に精霊が籍だけ置いてるとしても、芸能事務所のほうは営利団体だから、こういうことも書いてくるよね」

私が芸能事務所の人間でも、これを仕事に結びつけようと考えるだろう。

問題は突然、魔法配信という単語が出てきたことだけど——芸能事務所だから、魔族たちの交友関係もなんとなくは知ってるんだろうな。人間の土地でもリスナーが一定数いたぐらいだし。

「どうせ、賢スラを連れてくるために、もう一度ヴァンゼルド城にはいく必要があるし、ついでに声をかけておくか」

いっつも黙っておこうとして結局知られていたという展開になるし、今回はこちらからお願いしてしまう作戦でいく。

◇

私はライカに乗って、ヴァンゼルド城へと向かった。

そして賢スラに会うためにお城の中に入ると――

「お姉様～、チャンネル登録者数トップのわたくしにお任せください！」

ペコラが賢スラと一緒にスタンバイしていた。

「こっちからお願いする隙すらなかった！」

「でも、それはしょうがないですよ～。だって、砂漠芸能事務所というところから、もし可能ならその断食で有名な賢者さんを配信で扱ってくれと連絡がありましたから」

「芸能事務所から手を回されていた……」

やっぱり、こういう業界ってしたたかだな。魔法配信もちゃんとチェックしていて、そこからペコラと私のつながりも把握してたんだろう。

「今ではチャンネル登録者、数百万ですからね！　わたくしがその断食で有名な賢者とかいう方を、さらに有名にしちゃいますよ！」

「登録者、そんなに増えてるんだ！　本当にすごいな！」

「魔法配信用の機械も安くなりましたからね。今では十五万ゴールドぐらいから手に入りますよ」

それでも、まあまあするけど、パソコンを買うと思えばありえなくもない数字か。

「魔法配信用の機械がないと、音量調節をしたりできませんからね～」

「そう！　初期は大音量で部屋に流されて困ったんだよ！」

もちろん、機械なんてない時代で、ペコラの配信を見るしかなかった。

「あと、賢者はひっそり砂漠で修行してるからあまり有名にしちゃダメ……とも言えないのか。芸能事務所としては目立ったほうがうれしいのか。難しいな……」

いちいち砂漠で隠者みたいなことをしているのだから目立ちたくないのだろうけど、芸能事務所としては絶対に目立たせたいだろうし、これ、どうしたらいいのかな。

「そこは上手（うま）くやりますよ。賢者さんが映さないでくれと主張してるなら、それに従いますって。わたくしだってチャンネル登録者が多いので、あまり炎上させたくはありません」

炎上という概念、この世界にも生まれたんだ。

三百年生きてきたけど、最近は文明の発展スピードが速くなっている気がする。

◇

こうして私とライカ、賢スラ、そして魔王というよりも人気魔法配信者のペコラはアスファルトの精霊がひっそりと暮らしているという砂漠を目指して、ワイヴァーンで移動した。ライカにずっと飛んでもらうと疲れさせちゃうからね。

砂漠に入る最寄りの街に来ると、そこからはラクダに乗り換える。

前にも砂漠に行ったことがあるが、あそことは全然違う土地だ。砂漠といってもいろいろある。

ただ、こっちの砂漠もなかなか暑かったけど……。

「ねえ、賢スラ、大丈夫？　溶けたりしない？」

賢スラはサイズ的にラクダ一頭は必要ないので、私の騎乗してる位置のすぐ前に、ちょこんと乗っかっている。

横に体を振るような動きをしたので大丈夫ということだろう。

「アズサ様、近くまで我で行くこともできましたが」

ライカは暑いからこそ元気そうだ。

「相手はひっそり隠れ住んでるわけでしょ。巨大なドラゴンでやってきたら、嫌がるかもしれないからさ。気難しいキャラのおそれもあるし、ここは慎重にいこう」

準備にけっこう時間がかかってるし、相手が怒ってNGというのは避けたい。

「それに遠すぎてラクダじゃ行けないってほどの距離でもないしね」

賢スラは砂漠も珍しいのか、きょろきょろ周囲に視線を送っていた。

砂漠を二時間も進むと、ぽつんと小さな石造りの建物が見えてきた。

「あそこに断食で有名な隠者さんがいるんですね～」

ペコラは完全に観光気分のノリでいる。

「間違えるような建物も近くにないし、あれでいいだろうね」

ラクダの上にいる賢スラがぴょんぴょん跳ねた。賢スラもテンションが上がってきているらしい。

さて、どんな人がいるんだろう。

ラクダを止めて、その石造りの屋敷のドアをノックした。

「あの～、こちらが隠者の方のお宅ですか？」

すぐに扉が開いた。


「うむ。拙僧こそアスファルトの精霊モリャーケーじゃ」


ショートカットの女性の精霊が出てきた。砂漠で隠者みたいな生活をしているせいか、服などの見た目は地味だ。

「私たちは――いや、どうせなら賢スラに言ってもらおうかな」

私はキーボードみたいな布をさっと敷いた。

ぴょんぴょんぴょん、と賢スラがすぐにその上を跳んでいく。

「ほほう。砂漠の隠者の生き方を見せてほしいということじゃな。ならば、断食の様子をごらんいただこうか」

断食か。

そういや、この隠者は断食で有名らしい。

しかし、断食って大道芸みたいに目の前で披露してもらうものじゃないような……。

何週間もそばで見張るわけにもいかないし、とてつもなく地味なのでは？

しかし、今のところ、落ち着いている感じだし、割とまともな隠者みたいだ。信じてもいいのかな。

ライカもそれなりに期待しているようだ。ある意味、高原の家も都会の喧騒とは無縁の、修道院でも建ってそうな立地だからな。ライカも修行僧みたいな生活をしていると言えなくもない。
※前にそういうことをシャルシャに話したら、「母さん、そういう修道院の形式はたしかによく知られている。だが、修道院は立地で見ると僻地型・田園型・都市型の三種類に大きく分かれ、ひっそりと建っているのは僻地型ぐらいしかない。それとかつての修道院は僧ではなくて俗人の修練の場だった」と訂正されたけど、難しくてよくわからないので、ライカは修行僧みたいだと考えます。

ただ、その時、なんとも空気と合わない大きな声が響いた。

「こんにちは～！　おなかぺこぺこ、こころぺこぺこ、プロヴァト・ペコラ・アリエースで～す！　今日も楽しく配信していきたいと思います！　リスナーの皆さん、よろしくお願いしま～す！」


完全になんたらチューバーのノリ！

「ちょっと！　ペコラ！　もうちょっと空気読んでよ！　せめてちゃんとあいさつしてから！」

「え～？　こういうのはライブ感が大事なんですよ。はい、今回は、断食で有名な隠者さんのところにやってきました！　どんな断食をされてるんでしょうか？　どうせならわたくし、ダイエットに役立ちそうな方法を聞いて帰りたいと思うんですが～」

そもそもなんでカメラが回ってるみたいなしゃべり方なんだと思ったら――

ブッスラーさんが離れたところから変なアーティファクトをペコラのほうに向けていた！

確実にカメラみたいなものだよね……。ていうか――

「ブッスラーさん、いつ来てたの⁉」

「我もまったく気配を察知できていませんでした……。もし、武術によるものだとしたら、すごい技術です……」

ライカも感心しているが、私も本当にわからなかった。

「えっ？　準備などもいろいろありますから、ブッスラーさんには昨日から前乗りしてもらってますよ」

すでに来てただけだった！

なんだ、前乗りって……。業界用語みたいなやつか？　つまり前日に来てたってことだよね。

「おお、これはこれは……かの有名なペコラさんか。あとでサインがほしい。拙僧も断食のすごさを見てもらわんといかぬな」

この文脈、魔王じゃなくて配信者として有名って意味になってるな……。

「隠れ住んでいるのにサインがほしいものでしょうか……？　やけに世俗的な願いのような……」

ライカがけげんな顔をした。

あっ、なんか隠者の化けの皮がはがれそうな気がしてきたぞ。

「では、隣の部屋に断食の準備は用意しておるので、早速ごらんいただこう！　見事、食欲に勝ち抜いてみせましょうぞ！」

モリャーケーが隣の部屋に移動したので、私たちもそれに続く。

「断食に準備なんて必要だったかな？」

「我もそこはよくわかりません」

隣の部屋のテーブルには——

フルコースを頭から全部並べたような豪華な料理がずらり！

「断食どころか豪華じゃん！」

私がまずツッコミを入れた。

「私も詳しくは知らないけど、断食ってパンと水と塩だけで暮らすとか、わずかな木の実だけで食いつなぐとか、そういうものじゃないの？　これ、彩り（いろど）からして華やかだよ！」

「あっ、お姉様、さすがです。ツッコミにキレがあります！　澱（よど）みがありません！」

ペコラが変な褒め方をしているけど、論点がズレるのでスルーする。

「いやいや、勘違いされてもらっては困りますな。あくまでもこれは断食なのじゃよ」

すると、モリャーケーはフルコースが並んでいるテーブルの席に座った。

「豪勢な食事を前にして口に入れずに三時間耐える！　これぞ、拙僧の断食修行！」

「もったいないな！」


そりゃ、準備に時間もかかるだろうけど、三時間も放置してたらせっかくの料理が冷めちゃうぞ
――あれ？

隠者は三時間って言ったよな……？　言ったはずだ。

「もしかして、三時間が過ぎたら食べられるの……？」

「無論じゃ。せっかく用意した食事を捨ててしまっては、もったいない。天の恵みと感謝して皿までなめ尽くすのが正しい生き方じゃ」

「じゃあ、最初から用意しなきゃいいでしょ！」

「おおっと！　これはなんとも見事な料理の数々ですね～！　わたくしも食べたくなってきちゃいました」

ペコラも完全に魔法配信者のノリで話している。

と、そこにブッスラーさんが料理のお皿を追加でテーブルに置いた。

「えっ？　ここで食べていいんですか？　ありがとうございます♪」

隠者の前でペコラがごはんを食べだした。

「うん♪　魔族の味付けとは違いますが、それがまたいいですね～♪」

それとブッスラーさんが謎のアーティファクトでおそらく撮影している。

一方で、テーブルの向かい側の隠者モリャーケーは歯を食いしばっていた。

「うまそうじゃ！　しかし、まだ断食ははじまったばかり！　ここで食べたら修行失敗になる！

耐えろ、耐えろ、拙僧！」


「茶番にもほどがある！」


「あと三時間粘ったら、好きなだけ食べられる！　空腹は最大のスパイス！　それまでは我慢！」

「やっぱり三時間過ぎたら食べる気満々だ！　断食でもなんでもないじゃん！」

「記念すべき千回目の断食！　負けぬぞ！」

前世で禁煙をなかなか長く続けられない人が「七回目の禁煙成功」とか言ってたのに近いものがあるな……。

まあ、こっちから勝手に会いに来たんだし、私としては変な人だったことに文句を言う権利はないのかもしれないけど……。

ライカと、とくに賢スラががっかりしないか心配だ。

私がライカのほうを見ると、とても冷めた表情をしていた。

あっ……これは失望したというより、どうでもよくなったという顔だ。

「アズサ様、賢く生きるというのは難しいものなのですね。少しでも驕るようなところがあれば、賢者から愚者になってしまいます。慢心には気をつけたいものです」

虚無に近い表情で、ライカに言われた。

「この人の場合は、そういうレベルの問題ではない気がするけど……その心がけは大切だね」

私も偉大な魔女ですといったことは絶対に自称しないようにしよう。

それと、賢スラのほうはどうかな。

がっかりしすぎて溶けたりしてないかな……。

賢スラは私と目が合う（?）と、キーボード状の布を移動していった。

「ええと、『破戒によって修行を示す、興味深い』……? それはポジティブにとらえすぎじゃない……?」

だが、続けて賢スラはキーボードを動いていく。

全体的に軽やかだし、あきれている様子はない。

「『自分は失望したりはしていないので安心してほしい』か。わかった。賢スラのその言葉を信じるよ」

賢スラの生き方は私と違いすぎるし、内面までは想像もできない。賢スラ本人がいいと言ってるならそれでいいのだ。

あと、私たちがあきれているのも理解しているみたいだし、そういう感想も出るとわかったうえで、賢スラは興味深いと考えているようだ。

もしかすると、変な隠者と出会うことで学べることもあるという発想なのかも。

これはこれで貴重な経験ではあるしな。


ペコラがお皿をたいらげていってると、今度はブッスラーさんがアツアツの違う料理を持ってきた。

「はい、魔王様、次のメニューです。これは隠者さんの大好物の石焼きチーズグラタンだそうです。ぐつぐついってますね」

なお、アーティファクトはテーブルに置いてある。固定位置から撮影しますということだろう。カメラマンもディレクターも一人でやってると考えると、ブッスラーさんもしっかり働いているとは言える。

「これまたおいしそうですね～♪　隠者さん、率直な感想をどうぞ♪」

「うわっ、はふはふしながら食べたいぞ！　じゃが、拙僧は修行中の身！　残り二時間半、断食し続けてみせる！　唾液もあんまり出なくてよい！　なにも考えなくてよい！」

この人たち、まあまあ、楽しんでいるのでは……？

「あっ、チーズのとろけ具合がちょうどいいです♪　それと、断食している人の前で食べるチーズグラタンってとくに最高ですね！　いつもより三割増しでおいしい気がします！」

性格が邪悪！　ある意味、完璧な魔王！

その時、ペコラがアーティファクトのほうに向けてカメラ目線になった。


「皆さん、これが愉悦というやつです」

脳内に「愉悦というやつです」という文字が太字になって表示されてる画面が浮かんだ。それと、音声もエコーがかかってそう。


そのあと、ブッスラーさんは私とライカにもチーズグラタンを持ってきた。

「どうぞ、収録中はお暇だと思うんで、食べてください」

もう収録って言っちゃったよ……。まあまあ、ちゃんとした動機で隠者に会いに来たのにな……。

でもライカはチーズグラタンがおいしかったのか、かなり機嫌が直っていた。

人間、おいしいものを食べるとネガティブな気持ちはなかなか抱けないものである。

「ブッスラーさん、このグラタンはあなたが作ったものなのですか？」

ライカはおいしい料理を作る人には敬意を払う。たしかにシェフを呼んでもらってお礼とか言いそう。

「そうですよ。ここは砂漠の中の隠者の家ですから、基本的に日持ちのするものしか置いてないいんです。チーズは日持ちもしますからね」

たしかに買い物は気軽にできないけど、ちゃんと修行できてるかは怪しい……。


続いて、ペコラはデザートのプディングみたいなものをスプーンですくって、隠者の口のほうに持っていっていた。

「はい、あ〜んしてください。おいしいですよ〜♪」

「食べぬ！　食べてしまったら、断食失敗になる！」

だから、成功か失敗を決めるスパンが短いんだよ！　数時間ならだいたいクリアできるんだよ！


その次は、テーブルの上でペコラが料理を作りだした。

「この料理のポイントは、できるだけトウガラシを投入することです。トウガラシが近くに生えてないという方は、ワイヴァーンに乗って入手してください」

鍋にぽいぽいトウガラシが投入されていく。

同じ部屋にいた私とライカの目が痛くなってきた……。

「アズサ様、涙が出てきました！　こんな攻撃方法もあるんですね！」

「たしかに辛みって味覚じゃなくて、痛覚を刺激するものだとか聞いたことあるけど、これは苦しい！」

隠者もボタボタ涙を流していた。

「これなら苦しくはあるが、食べたいと思わん！　よし、残り時間半分を切った！　このまま押し通すぞ！」

もう、なにがなんだかわからん！


後半は、隠者の好きな料理ベスト5を順番に出していくという、なかなかのイヤガラセめいた企画をやっていたが、隠者は普通に耐えていた。そりゃ、普通は耐えられるよね。そこであっさり食べちゃうケースのほうが少ないよね。

最後のほうは隠者は手で目を覆っていた。

「目で見るから食欲を喚起してしまう！　視界に入れないことで乗り越える！　こんなことで心を乱されてたまるか！　波のない湖のような澄みきった心を持つぞ！　断食を成功させるぞ！」

もう、十二分に心は乱れてるから！

「ほら、おいしいものが前に出ると、唾が出るっていうじゃろ。あれって本当なんだなと実感しておる」

当たり前のことで、感心もせんわ。

「あの、ペコラさん、気を紛らわしたいので、世間話なんてさせてもらえませんかな？」

「隠者さん、断食なんて自己満足なんですから、ここで食べて食欲を満足させるのも同じですよ～♪」

魔王だけあって悪魔の囁きが上手い！

そんな隠者本人にとってだけはつらい断食もついにタイムリミットが近づいてきた。

「はい、あと、五秒です！　ご、よん、さん、に、いち、ぜろ！　断食成功です！　おめでとうございます！」

「拙僧はまたもや断食に成功したぞ！」

隠者がガッツポーズをしている。隠者がしなそうなポーズだな。

「さあ、食べるぞ！　美味、美味、美味！」

即座に隠者は食事にがっついている。

「それでは、今回の放送はここまで！　皆さん、チャンネル登録よろしくお願いします♪」

ブッスラーさんがアーティファクトのボタンかなにかを押したらしく、そこから出ている光が消えた。

「ふぅ、隠者さん、お疲れ様でした。これで隠者さんの名前も知れ渡ると思いますよ」

「はい、感謝いたしたい。砂漠芸能事務所も喜ぶじゃろ」

礼儀正しく、隠者はペコラに頭を下げた。

「もし、評判がよかったら、次は大好きな料理の中に、一つだけ大嫌いな料理を加えて、お互いに相手の大嫌いな料理を当てるというゲームをやりたいと思ってるんですけど、いいですか？」

「ああ、はい、そうじゃのう……」

あれ、やけに隠者のテンションが低い。

もしやカメラが回っている時だけ、キャラを変えているタイプの人なのか？

普段は暗いけど、テレビの時だけはっちゃけてる芸能人って割といたそうだし。

それから、隠者は嘆息するように、こうつぶやいた。

「はぁ……こんなことに意味はあるのであろうか……。いや、ない」


その時、隠者が見せた表情は、ライカの虚無の顔とよく似ていた。


賢スラがキーボード状の布を動いた。

「やっぱり」と賢スラは文字を打った。

えっ？　まさか、賢スラはなにかを察していたのか。

隠者は賢スラのほうに来て、床に座った。

「賢スラ殿、滑稽であったじゃろ。拙僧もそう思う。どうもこの方向性はおかしかったようじゃな」

ライカが呆然（ぼうぜん）としながら尋ねた。

「あの、失礼ですが、先ほどまでのことはすべて演技だったのですか？」

「そうじゃ、ドラゴンの賢者殿」

ライカも賢者と認識されていた。

「いえ、我はとてもそんなだいそれたものではありません……。それより、なぜ、こんなことを……？」

隠者の代わりに、賢スラがキーボードを移動して、文字の形で語ってくれた。

要約すると、こんな内容だ。

・魔族側の文献では、アスファルトの精霊を名乗る有名な隠者がいるということが書かれてあった。
・ただ、それはいずれも古い文献で、ある時期になって、その精霊の記録は途切れる。
・そして、この百年ほどのうちに、砂漠芸能事務所の所属タレントの箇所に、アスファルトの精霊を名乗る者の名前が見られるようになった。
・たんにアスファルトの精霊を名乗る別人か、あるいはアスファルトの精霊本人が方向性を変えようとしていたかのどちらかだと思われる。
・それを確認してみたかった。
・アスファルトの精霊本人だと確信が持てた。

ライカが神妙な顔つきで言った。

「つまり、この方は元々、高名な隠者だったということですか！」

隠者モリャーケーはため息をついた。

「それを認めると、高名だったと自分で言ってしまうことになる。だいたい、隠者などというものは広く知られているものじゃなかろう。それこそ、売名行為そのものじゃ」

それはごもっともだと思う。

「拙僧は長らく砂漠で砂に埋もれるような生き方をしておった。そんな拙僧に話を聞きに来るために砂漠を歩いてくる者は、それなりにいた。じゃが、そこで、とある疑問に行き当たったのじゃ」

「疑問とは？」とライカが尋ねる。

こういうことはライカが興味を持ってくれるので、私はあまり質問をする必要がない。

「土や砂のジャンルに近いアスファルトの精霊が砂漠で生活をしていても、いてもおかしくなさそうで、隠者でもなんでもないのではないかと思ったのじゃ」

「「たしかに！」」

私とライカの声がハモった。

海の精霊が、砂漠に住んでるわけじゃないしな。

「こんな砂漠でずっと暮らしていてすごいですね、偉いですねと言われ続けてきていたが、あるがままの生活じゃ。なのに、無駄に評価が高くなるし、申し訳ない気がしてな……」

自己評価と比べてやけに世間の評価が高いと困惑するのはわかる。私もそういう経験がある。

「なので、数百年、自分を見つめなおすために全国を渡り歩いた。しかし、放浪したところで得るものもなかった。それで百年ほど前にこの土地に戻ってきたのじゃ。そこで芸能事務所の人間が来た」

思った以上に壮絶な生き方だ。

「芸能事務所の者はこう言った。『これからの時代、隠者も社会とのつながりが大事です。弊社(へいしゃ)にタレントとして所属しませんか？　面会のアポイントなども代行します』と」

「それは金の臭いをかぎつけてきましたね。私にはわかります」

ブッスラーさんが自信を持って言った。ブッスラーさんならわかりそうだな。

「それ自体は悪い話ではなかった。隠者だ、隠者だと話を聞きに来る者はたくさんおった。これは隠者だろうと一般人だろうとそうじゃと思うが、突然お宅訪問に来られたら鬱陶(うっとう)しい。そういうのは制限したかったし、『事務所通してもらえますか？』と言って断るのは楽じゃったから、芸能事務所に所属したのじゃ」

隠者と芸能事務所という単語の食い合わせが悪い気がするけど、話を聞くとそうでもない気もするな。

「じゃが、まったく芸能事務所のプラスにならんのも申し訳ない気がして、ここ何十年かは今までと違ったキャラを試す意味もあって、あんなことをしておった」

私はライカの肩をちょんちょんとつついた。

「ねえ、ライカ。ユフフママの家にあった本に書いてあったことは正しかったんだ」

「そういえば、人付き合いは悪いと書いてありましたね」

ここに来た時はテンションが高いキャラなので忘れていたけど、アスファルトの精霊は本来、人付き合いも避けていたのだろう。

「それで断食キャラとして売っていたわけですね～」

ペコラはパンをかじりながら言っている。テーブルマナーなんかも知ってるはずなのに、思いっきり食べながらしゃべっている。

「そういうことじゃ。大昔に、パンと水と塩だけの生活は五十年ほど続けたこともあるが、だから何じゃ。食事を減らすと偉いのか？　じゃあ過去に餓死した者は全員、大賢者じゃ。あほらしくなって、今は一般的な食事をしておる」

なるほど。この隠者は様々な生き方を試してきたというわけか。

「とはいえ――」

ふうぅ、と隠者はまた深いため息をついた。

「今の生き方も空しいのであるがな。断食百回目達成だとか千回目達成だとか言って、それが何になる……？　それって面白いか？」

「そこで素に返っちゃうと、だいたいつまらなくなるから！」

なかなか難しいところだ。流行というのは、冷笑的に見るのはダメなものだと思う。楽しんでいる人も大半の場合は一過性とわかったうえで楽しんでるはずだし……。

そこで、隠者は立ち上がった。

「さて、賢スラ殿、身の上話だけではつまらんし、違う話もしようか。地下に案内しよう。ほかの方もどうぞ、ご随意(ずいい)に」

せっかくなので私たちも地下への階段を下りた。


そこは——本で満ちた書庫だった!

そして、賢スラの様子がおかしくなった。

賢スラが跳ねまくっている。まあ、跳ねるのはいつものことなんだけど、書庫にぶつかって、跳ね返ったりしている。

スーパーボールを狭い部屋で思いっきりぶつけた時みたいな動きだ。

ババババババババ!

壁にぶつかりまくるせいで、そんな激しい音が出ている。

「賢スラ、どうしちゃったの?」

「おお、わかるようじゃな。ここにあるのは古い人間の国の本やその写本が中心じゃ。賢スラ殿も見たことがない本もあるかもしれぬの」

隠者も少しうれしそうだ。同じ趣味がわかる人がいたわけだからな。

私はちらっとペコラのほうに目をやった。

せっかくだし、二人が話をできる時間を作ってあげようということだ。

こくりとペコラがうなずいた。

うん、伝わったかな——


なぜかペコラが目を閉じて、顔をこちらに近づけてきた！


「ストップ、ストップ！　勝手に謎のテレパシーを受け取らないで！」

「ええっ？　姉妹(しまい)だからキスしよう的なアレじゃないですか？」

「そんなわけないでしょ！　まして、状況もおかしいでしょ！　何人もいる場所でするか！」

と、私とペコラの間に、すすすっと音もなくライカが入ってきた。

「ペコラさん、ダメですよ。ダメです」

私のほうからはライカの顔は見えないんだけど、どうやら微笑(ほほえ)みながら言っているらしい。声のトーンで表情はある程度わかる。

でも、笑顔だとそのほうが怖い感じはある。

「むっ……たしかにややこしそうなので、ここは引くとしましょう……」

ペコラも距離を空けた。魔王を撤退させるとは、ライカも強くなったな。いや、強さはあまり関係ないのかな？

そんな調子で私たちがしょうもないことをやっている間に、隠者と賢スラはやけに専門的な話をしていた。

「伝記作者が書いた聖ダリセンソの伝記があるが、あれは偽書じゃよ。というのも、それより古くて前半がまったく同じ別人の伝記がここにある」

ぴょんぴょん。

「あのヤルセンジークの五十戒律というのも、本人の死後二百年ほど経って、違う奴が本人を騙って作ったものじゃ。同時代資料にまったく戒律に関する評判が出てこんからおかしいとわかる」

ぴょんぴょん、ぴょーん。

「ニンタン女神の誠実典礼書も偽書でほぼ間違いないようじゃぞ」

ぴょぴょ、ぴょんぴょん。

話題が偽書のみだな！

それが面白いのか私には知る由もないが、賢スラも元気そうに感じるから面白いんだろう。どうしても隠者が一方的に話してるように見えてしまうけど、しっかり対話をしている……はず。

そのあと、私たちは隠者にもてなしを受けた。

皿の上に砂らしきものが載っている。

「あの、できれば食べ物がいいんですけど……」

そろそろ帰れという意味でぶぶ漬けを出す文化でも、出すものは食べ物だぞ。

「それは砂漠で隠者の生活をしていることをヒントに商品開発した、砂にしか見えない砂糖じゃ」

「割と商品のハードルが低い！」

黒っぽい砂はだいたい砂に見えると思う。

舐(な)めてみると、しっかり甘かった。

「いやあ、さすが世界三大賢者だけのことはある。賢スラ殿の学識は見事なものですじゃ」

断食に挑戦しますなどと言っていた人と同一人物とは思えない落ち着きがある。

とてつもなく長く生きてきた人が出せる風格があるというか。

でも、メガーメガ神様をはじめとして、長く存在している雰囲気を一切(いっさい)出さない人も数多くいるので、これは先入観なのかもしれない。

「やはり無理なく、隠者をして、あるがままに生きたほうがいいかもしれぬな。賢スラ殿を見て、そう思った。そのへんの砂のように、ひとかたまりのぷにぷにしたものとして、そこにある」

それは単純にスライムだからなのでは……。

「隠者なだけの生活ではダメだと思って、断食ネタを使って、キャラ作りをしてきたが、それも終わりにしようかのう。また、ひっそりとここで、あるがままにアスファルトの精霊としてやっていくとしようか」

ああ、『世界三大賢者人物事典』に載ってるこの人は、ほかの賢者に出会って、何か吹っ切れたらしい。

「アスファルトを使って、いろんなものをぺたぺたくっつけていこうかのう」

「それはまた変な精霊という噂が立つので違う切り口のほうがいいですよ……」

たしかにどろどろの天然アスファルトは接着剤として広く使われてたはずだけど、やりすぎると、「ぺたぺたさん」みたいな変なあだ名をつけられると思う。

「まっ、あまり気負わずにのんびり生きることにしようと思う。隠者にこだわる意味もないし、隠者から逃げる意味もない」

ライカもかすかにうなずいている。

迷いから抜け出した人を見ると、勇気づけられるんだろうな。ライカも求道者タイプだから。


その時、声が上がった。

「もったいないですよ！」


席を立って、ブッスラーさんが叫んでいた。

そのまま、隠者のほうに詰め寄る。

「な、何がもったいない……？」

「今、断食する隠者のキャラで、お金も入ってますよね？　成功してるのにあっさりそれを辞めるのはもったいないです！　稼げる時には稼いでおかないと！　あとでやっぱりもっと稼ぐべきだったと思っても後の祭りです！」

　いかにもブッスラーさんらしい発言！

「いや、拙僧はとくにお金に執着もないし……」

「使わないなら、使わないでいいんです！　でも、百年後や二百年後にほしいものだって出てくるかもしれないでしょ！　伝説的にレアな本が見つかることだってあるじゃないですか！　その時、お金がないと何もできません！　世の中にはお金がないとできないこともあるんです！」

　なんだかんだで正論に聞こえる。

　事実、隠者は押されている。

　この人の学識なら、しょぼい詭弁ならいくらでも論破できるはずなのだ。

「私も武道家なのに、なんで魔王様の魔法配信のスタッフとしてここに来てるのかなとか何度か思ってましたよ。でも、いろんな仕事を知ってるほうが、つぶしが利くから来たんですよ！」

　本人も自問自答してたんかい！

「もし、あるがままに生きることを目指すなら、自分から辞めるなんてことをせずに、飽きられるまでやればいいんですよ！　そのうち飽きられます。そしたら、どうせみんな忘れます。そしたら、そのまま隠者に戻れますから！」

「それは、ちょっと詭弁ではなかろうかの？」

「私はお金は稼げる時に稼いでおくべきだと主張したいだけです！」

　ブッスラーさんに接近されて、隠者はやけに背中が反り返っていたが、ゆっくりとこう言った。

「……わかった。断食する変な隠者も続けていこう」

さわやかにブッスラーさんは笑った。

「それでいいのです」

ブッスラーさんが偉い隠者を説得してしまった……。

◇

後日、魔法配信でペコラが断食の隠者に会いに行く動画が公開された。

いつものペコラの配信と比べてみてもかなりの再生回数を誇ったらしく、風の精霊が言っていたという風の噂では隠者のところに行く人が増えたという。

その噂自体は私はユフフママのところに遊びに行った時に聞いた。

「あの動画を見て、私もアスファルトの精霊の顔を思い出したわ～。そういえば、あんな子、いたわね～」

学校時代の知り合いが、いつのまにか芸能人になってたみたいな反応だ。

あの隠者が果たして幸せなのかはわからないけど、これは違うと思ったら芸能事務所を脱退するなり何かとやれることはあるし、別にいっか。

もし悩みがあるなら、賢スラに会った時にでも話をしてもらえばいいし。賢スラも賢者の居場所がわかれば、たまに会いに行こうとするだろうしね。

「あっ、そうそう、ユフフママにお土産があるんだよ」

「へえ、何かしら？」

私は砂っぽいものが入った袋を出した。

「砂漠に住んでる隠者プロデュースの砂のような砂糖だよ」

ユフフママは早速、その砂糖を使って、甘い卵焼きを作ってくれました。

終わり

※本短編はドラマCD第3弾（9巻ドラマCD付き限定特装版）の脚本に加筆修正を加えたものです

●シーン0

アズサ　高原の家のキッチンへやって来る

アズサ　「はぁ～、水を持ってくるために調薬用の部屋とキッチンを往復するのって面倒くさいな～。今度から水は事前に用意しとこう……」

アズサ　「それにしても、今日はやけにダイニングがし～んとしてるな。こんなに人気がないって久しぶりな気がする」

アズサ　「確かロザリーはナスクーテの町に行っているはずだけど、他のみんなはどこに行ったんだろう」

ハルカラ　「うぅ……ぐふぅ…………」

アズサ　「えっ、誰かいるの？」

アズサ　周囲の様子を探る

ハルカラ　「うぅ……痛いぃ…………」
アズサ　「きゃーっ！　ハルカラが頭に壺をぶつけられて倒れてるっ！」

ファルファとシャルシャ　声を聞きつけやってくる

ファルファ　「どうしたの、ママ⁉」
シャルシャ　「ただ事ではないと感じた」
アズサ　「あっ、ファルファとシャルシャ！　大変なんだよ！　ハルカラが壺で背後から殴られたみたいで……」
ファルファ　「ハルカラさん……ひ、ひどい！」
シャルシャ　「壺を背後からぶつけられたと考えられる」
ハルカラ　「うぐぅ……た、たふへてくだはひ……」

ひらめきの音

シャルシャ　「これは――事件のにおいがする」
ファルファ　「シャルシャ、ここはわたしたち二人で事件を解決しよう！　この本みたいに、きっとできるよ！」

シャルシャ　「あっ、姉さん、手に持ってるその本は……『名探偵　お菓子屋さんの子供』！」
ファルファ　「そうだよ！　お菓子屋さんの子供が町で起こったいくつもの殺人事件を解決して、最後に必ず両親からご褒美にお菓子をもらう大人気シリーズだよ！」
アズサ　「なんか、血なまぐさいのか、子供っぽいのか、よくわからない本だな……」
シャルシャ　「シャルシャももちろん読んでいる。とくにお菓子屋さんの従業員が次々と不可解な死を遂げた『硬すぎるクッキー事件』は素晴らしい出来」
ファルファ　「凶器に使ったクッキーをすべて犯人が食べたっていうトリックを読んだ時は驚いたよ～」
アズサ　「ご褒美にお菓子もらうのに、お菓子を凶器にしちゃまずいでしょ……」
ファルファ　「この本みたいに犯人を捕まえよう！」
シャルシャ　「心得た。体は子供で頭脳は大学生相当の自分たちには、できることがあるはず」
アズサ　「うん、その部分はまったく間違ってないな……。じゃあ、意外と解決できちゃうのかな」
ハルカラ　「と、とりあえず、回復魔法……お願いしまふ……」

タイトルコール

●シーン1

アズサ　「ふぅ……ハルカラにはひとまず回復魔法をかけて、寝かせてきたよ」
ライカ　「ハルカラさんの命に別状がなかったようで、よかったです。我もキッチンには先ほど寄ったのですが、そんなことになっていたとは……」
アズサ　「そっか。まあ、テーブルが陰になって、見えづらいところに倒れてたしね。ハルカラはそのうち起きてくると思うけど、今はゆっくり寝かしておこっか」
ベルゼブブ　「後頭部に壺をぶつけられたらしいのう。しかし、いったい誰がやったのじゃ」
アズサ　「現状、犯人は誰かわからないんだよ」
ライカ　「そんな卑劣なことをした人がこの中にいるかもしれない。そう考えないといけないだけでも、我は悲しいです……」
ベルゼブブ　「まったくじゃ。なんで、よりにもよってわらわがお土産で持ってきた壺を凶器に使うんじゃ！　いつも使ってる鍋とか、花瓶（かびん）とかなにかしらあるじゃろ！　とんだ迷惑じゃ！」
アズサ　「怒るところ、そこかい！」
ベルゼブブ　「わらわにも怒る権利はあるわ！　魔族の善意を悪用するとは、悪魔か！」

アズサ　「ねえ、そこ、ツッコミ入れたほうがいいの？」
ファルファ　「皆さん、お静かに！」
アズサ　「何？　何？　ファルファ、何かわかったことでもあるの？」
ベルゼブブ　「もちろん、かわいい娘の言うことなら聞くぞ～。静かにするのじゃ」
アズサ　「だから、娘って言うな。ファルファとシャルシャは私の娘だから」
ベルゼブブ　「二人ともというのは欲張りなのじゃ」
アズサ　「そこを分けたら子供のほうがかわいそうでしょ。子供のことを考えられてない人には子供はあげられません！」
ベルゼブブ　「だ・か・ら、二人とももらっていくと言っておるじゃろ！」
アズサ　「だ・か・ら、あげません！」

時間経過

シャルシャ　「…………みんなが静かになるまで十五秒かかった」
アズサ　「何、その、朝礼の校長先生みたいな発言……」
シャルシャ　「『名探偵　お菓子屋さんの子供』に出てくる学校の先生の言葉」
アズサ　「本当に学校の先生だった」
シャルシャ　「なお、二作目で砂糖のかたまりで殴られて殺された。犯人は砂糖のかたまりを食べて、証拠を隠滅した」

アズサ「そのミステリー、トリックが食べて隠すのばっかりだな……」

ファルファ「みんな、聞いて！　ハルカラさんは何者かに背後から頭に壺をぶつけられたんだよね」

シャルシャ「状況的に、この高原の家にいた誰かの犯行と考えられる。事件当時、この高原の家は密室！」

アズサ「いや、ドア開いてるし、とくに密室じゃないでしょ」

ファルファ「ママ、密室のほうがかっこいいでしょ！」

ベルゼブブ「そうじゃ、そうじゃ。ファルファの言うとおりじゃ」

アズサ「子供に甘いおばさんポジションだ……」

ファルファ「この難事件、ファルファとシャルシャで解決してみせるよ！」

シャルシャ「名探偵ファルファ&シャルシャと呼んでほしい」

ライカ「お二人とも、探偵ごっこですか？」

ファルファ「ごっこじゃないよ！　本気だよ！」

シャルシャ「真相を見つけ出してみせる。無数の名もなきスライムたちの名にかけて」

アズサ「名もなきスライムだと、名にかけることもできないんじゃない？」

ファルファ「ママ、細かいことはいいから」

シャルシャ「そう、終わりよければすべて良し」

アズサ　「そこは探偵としてはテキトーじゃダメな気もするけど……」
ファルファ　「とにかく、わたしたちに任せて！」
シャルシャ　「隠された真実をシャルシャたちで見抜いていきたい」

ファルファN（ナレーション）　「こうして、わたしファルファとシャルシャは自分たちの部屋を取調室にして、容疑者を順番に部屋に呼ぶことにしました」

●シーン2

容疑者①　ベルゼブブさんの取り調べ
ファルファとシャルシャ　自室にベルゼブブを呼び出す

ベルゼブブ　「ファルファ～、シャルシャ～、二人とも入るぞ～。おっ、机が部屋の中心にあるのう。ランプも机に置いてあって、取調室っぽいのじゃ」

ベルゼブブ　着席する

ファルファ「まず、ベルゼブブさんにお話を、お聞きしたいと思います」
シャルシャ「ありのままにすべてを話してほしい。天はすべてを見ている」
ベルゼブブ「魔族としては天がどうとかいうことはあまり信じる気にはなれんのじゃが、まあ、そこはよい。わらわは二人に全面協力するのじゃ！」
ベルゼブブ「そうじゃ！　魔族の取り調べでは、カツ・ドゥーンを出す風習があるのじゃが、作っておこうかのう？　ちなみにカツ・ドゥーンのドゥーンとは砂漠という意味じゃ。お前に逃げ場はないということを示すものじゃ」
ファルファ「ベルゼブブさん、そういうのは今回はいいよ」
シャルシャ「自分たちは真面目（まじめ）に犯人捜しをしようとしている」
ベルゼブブ「う、うむ……。わかった。真面目にやるのじゃ」
ファルファ「じゃあ、早速、聞くね。ベルゼブブさん、ハルカラさんを殴る凶器に使われてた壺について教えてくれませんか？」
ベルゼブブ「ああ、あの壺は土産で持ってきたものじゃ。嘆きの壺と言ってな、耳を当てると、深淵（しんえん）の亡者（もうじゃ）の声かと思うような、ぞっとする音が聞こえてくるのじゃ。ちなみに金属製じゃから、ハルカラの頭に落ちても割れたりはしておらなんだな」
シャルシャ「シャルシャには奇奇怪怪（ききかいかい）に思える点がある。どうして、そんな趣味が悪い壺をお土産に持ってきたか知りたい」

ベルゼブブ「趣味が悪いじゃと……!? あれは魔族としては縁起物なのじゃ。邪悪な者が亡者の声で寄ってこないという言い伝えがあるのじゃ。なので、魔除けであって、別に悪趣味ではないのじゃ！」

ファルファ「なるほどね。壺は悪趣味じゃない――よし、メモに書いたよ」

ベルゼブブ「おお、しっかりメモをしておるのじゃな。偉いぞ～」

シャルシャ「次の質問に移りたい。あの壺の攻撃力はいくらぐらいか知りたい」

ベルゼブブ「え……いや、壺に攻撃力っておかしいじゃろ。壺は人を殴るものではないぞ。だから、攻撃力なんて設定も知らないのじゃ」

ファルファ「攻撃力は不明――メモに書いたよ」

シャルシャ「では、最後に、重大な質問に移りたい」

ベルゼブブ「うむ……。なんじゃ？」

シャルシャ「ベルゼブブさんはハルカラさんが倒れたとおぼしき時間、どこで何をしていた？」

ベルゼブブ「壺をダイニングのテーブルに置いたらすぐに、おぬしら二人の部屋に行って、遊んでおったじゃろ。朝からおぬしらと一緒におった。つまり、おぬしら二人が証人じゃ」

ファルファとシャルシャ　息を呑む

ファルファ「…………ほんとだ。ファルファもシャルシャもベルゼブブさんとずっと遊んでたね」

シャルシャ「…………これは完全なアリバイ。とても覆せない」

ベルゼブブ「むしろ、もっと遊びたいぐらいじゃ！　何をする？　いろいろゲームも持ってきておるぞ！　わらわの子供になると、いくらでもゲームやり放題じゃぞ～！」

シャルシャ「姉さん、ベルゼブブさんではない」

ファルファ「そうだね。このアリバイは崩れないね」

ファルファ「ベルゼブブさん、ゲームは謎解きの後でやるから、ここはいったん出ていって」

ベルゼブブ「ガーン！　ショックなのじゃ…………あっ、そういえば、いいものがあったのじゃ。ええと、どこじゃったかな。どこじゃったかな」

シャルシャ「今は遊んでいる場合ではない。ご理解願いたい」

ベルゼブブ「じゃ～ん！　お菓子の詰め合わせを買ってきたのじゃ～！」

シャルシャ「…………姉さん、世の中にはこんな言葉がある。腹が減っては戦はできぬ」

ファルファ「うん、甘いものを食べることで、頭もよくはたらくもんね！　お菓子タイムは必要だよね！」

ベルゼブブ「うむうむ。たくさん食べて、すくすく育つのじゃぞ～。……いや、そんなに育たなくてもよいな。むしろ、今ぐらいが一番かわいいのじゃ！」

シャルシャN　「ベルゼブブさんのくれたお菓子、大変美味だった。次にわたしたち二人はライカお姉さんを取調室に呼んだ」

●シーン3

容疑者②　ライカお姉ちゃんの取り調べ
ファルファとシャルシャ　自室にライカを呼び出す

ライカ　「失礼します……。本日はよろしくお願いいたします……」
ファルファ　「ライカお姉ちゃん、そんなに面接みたいにしなくてもいいんだよ」
シャルシャ　「泰然自若（たいぜんじじゃく）とした態度で取り調べにのぞんでくれればいい」

ライカ　着席する

ライカ　「そう言われましても、ハルカラさんがあんな目に遭ったわけですから……。心穏やかというわけにもいきません」

ライカ　「いったい、誰があんな卑劣なことを……。しかも、背後から不意打ちするだなんて！　今にも怒りで口から炎が出そうです！」

ファルファ　「ライカお姉ちゃん、炎が出ちゃうと、この家が燃えちゃうからやめてね……」

シャルシャ　「家が全焼すると、ハルカラさんが受けた被害よりダメージが大きい。自重していただきたい」

ライカ　「あっ、すいません！　つい、熱くなってしまいました」

ファルファ　「『名探偵　お菓子屋さんの子供』でも『硬すぎるクッキー事件』でお店が最後に犯人に燃やされちゃったけど、今回はそんなに規模が大きな事件じゃないしね」

ライカ　「お菓子屋さんが燃えちゃうと、そのお話、続けられないのでは……？」

シャルシャ　「お店再建編が次の巻にあるから大丈夫。次の巻では町の不動産屋さんが次々と不審な死を遂げる」

ライカ　「そのお菓子屋さん、呪われてませんか……」

時間経過

ファルファ「じゃあ、ライカお姉ちゃん、ハルカラさんが倒れていた時間に、なにをしていたか聞きたいんだけど」
シャルシャ「うん、それが知りたい。真実はいつも一つ」
ライカ「我はアズサ様と一緒に調薬用の部屋で薬を作るのを手伝っていました。それはアズサ様が証明してくださると思います」
シャルシャ「その部屋を出て、ダイニングに行ったことは?」
ライカ「ええと………あっ、あります。水を取りにダイニング横のキッチンに寄ったんです」

ひらめきの音

ファルファ(少しねちっこい声音(こわね))「あれ〜、その時、ハルカラさんがいたかどうかは気づかなかったの?」

ライカ「それは………ハルカラさんが倒れていたから見えなかったんです。ハルカラさんがダイニングで倒れているだなんて想像もしませんでしたし……」

ファルファ(少しねちっこい声音)「う〜ん。それは少しおかしいですね〜。なぜなら〜、ライカお姉ちゃんが水を取りに行った時間に、すでにハルカラさんが倒れていたかどうかはわからないからで〜す。なんで、もうハルカラさんが倒れていて見えない

ライカ　と断言できたんですかぁ〜？」
シャルシャ「……それ、誰かの真似ですか？」
ライカ　「名作小説、『探偵プルパターニ・ダブロン』の話し方。プルパターニ・ダブロンは、とてもねちっこい話し方をする」
ファルファ「な、なるほど……。で、ですが、我はやっていません！」
ライカ　(少しねちっこい声音)「でも、ハルカラさんを壺で殴るチャンスがある。つまり、アリバイがないということは事実ですよね〜。あと、こういう事件は一番真面目な人が犯人ということが多いんです〜。だから、高原の家で一番真面目なライカお姉ちゃんが犯人で〜す」
シャルシャ「姉さん、それはいくらなんでも強引。証拠を積み上げていかないといけない」
ライカ　「と、とにかく、我はやっていません。ハルカラさんに恨みなどありませんし！」
ファルファ(少しねちっこい声音)「では、次にお聞きしま〜す。あの壺って重かったですか？」
ライカ　「はい、ドラゴンなら問題ないですが、ファルファちゃんとシャルシャちゃんには持てないぐらいには重かったです」
ファルファ(少しねちっこい声音)「おや〜、なんで、壺の重さを知ってるんですか〜？」
ライカ　「あっ！」
シャルシャ「凶器に使用された壺の重さを知っている。これはかなり決定的な証拠と言える」
ライカ　「いえ、それはたんに壺がテーブルに置いてあると思って持ち上げてみただけ

ライカ　で……」

ファルファ　「あれ、となると、あの時はまだハルカラさんは帰ってなかったことになりますね……」

シャルシャ　(少しねちっこい声音)「んん～？　さっきの倒れていたから見えなかったという発言と矛盾してますね～」

ライカ　「論理に矛盾がある時、言葉のどこかに誤りが含まれていると考えるべき」

ファルファ　「二人とも、待ってください！　最初の発言は勢いでそう言ってしまっただけで……。本当です。信じてください……」

シャルシャ　(少しねちっこい声音)「ですが、信じていいものと疑わないといけないものを区別するのも探偵の仕事なんで～す」

「本当のことを言ったほうがいい。今ならまだ間に合う。『ごめん』で間に合う」

ライカ　思わず立ち上がる

ライカ　「この世界の神に誓って、我はハルカラさんを傷つけてはいませんっ！」

ライカ　「はぁ、はぁ……」

時間経過

ファルファ　「……ここまでライカお姉ちゃんが言ってるってことは」
シャルシャ　「事実を話していると考えざるをえない。犯人は違う誰か」
ライカ　「信じていただけて、我はうれしいです」
ファルファ　「だって、ライカお姉ちゃんがウソをつくことはないからね」
シャルシャ　「ライカお姉さんがウソをつくということは真か偽で判断すれば、偽。よって、犯人ではない」
ライカ　「我はこれからも皆さんに信用されるように、誠実に生きていきたいと思います！」

ファルファN　**「まあ、真面目なライカお姉ちゃんがそんなことをするわけないよね。最後に、わたしたち二人は第一発見者であるママを取調室に呼びました」**

●シーン4

容疑者③　ママの取り調べ

ファルファとシャルシャ　自室にアズサを呼び出す

アズサ　「二人とも、入るよ～。おお、それっぽくなってるね」
ファルファ　「ママ、今日は親子の愛情も関係なく取り調べるよ」
シャルシャ　「情状酌量の余地はない」
アズサ　「その表現、犯人に判決を下す時に使うやつじゃない……？」
アズサ　「私が第一発見者だから、詳しく話すね。ライカと一緒に薬を作ってたら、水が必要になってね。その前はライカに行かせたから次は私がキッチンに水を取りに行ったの。そしたら、ダイニングからうめき声が聞こえてきたんだよ」
アズサ　「で、見に行ったらハルカラがテーブルの下に倒れてて、そのそばに壺が転がってたの」
ファルファ　「メモメモ。ママ、ちなみに、その壺が凶器として使われたっていうことは間違いないの？」
シャルシャ　「はっ！　それは考えていなかった。あの壺は凶器と見せかけるためのものだった可能性もある！　姉さん、すごい！」
ファルファ　「えっへん！　だって、ファルファは名探偵だからね」
アズサ　「あぁ、ハルカラの後頭部には大きなたんこぶができてたし、壺もちょっとへこんでたから、壺が使われたと考えていいと思うよ。ハルカラの傷は回復魔法をかけた時に確認したから」

ファルファ「じゃあ、凶器は壺でいいのか〜」

シャルシャ「むっ！　シャルシャには、ここにこの事件の要点があるように思う」

シャルシャ「なぜ犯人は壺を使ったのか？　あの壺は今日、朝に来たベルゼブブさんが偶然持ってきたもの。ダイニングのテーブルに置かれていたのも偶然」

ファルファ「ということは――――そうか！　犯人は壺が近くにあったから突発的にハルカラさんを攻撃しようとしたんだね！　……計画的なものじゃなかったんだ！」

アズサ「おっ、二人とも、本格的な感じが出てるね」

ファルファ「ママ、これはおままごとじゃないよ」

シャルシャ「安寧秩序（あんねいちつじょ）のために犯人は見つけないといけない」

アズサ「わかったよ。茶化しちゃってごめんね」

シャルシャ「『名探偵　お菓子屋さんの子供』でも、主人公の探偵は、町の住人五十人が不可解な死を遂げた時に、町の平和を取り戻すために必死に犯人を探していた」

アズサ「その町、怖すぎるから、絶対に引っ越すべきだと思う」

アズサ「それでハルカラを攻撃した犯人は見つかりそう？」

シャルシャ「ここは……精神集中に入るべき時」

アズサ「あれ、シャルシャ、目を閉じちゃってるけど、もしかして眠たいの？　お昼寝の時間？」

ファルファ「違うよ、ママ。シャルシャは瞑想をしてるの。ああやって、目を閉じて深く考えることで事件の真理に近づけるんだよ」

アズサ「そんな能力あったんだ！」

シャルシャ「無念無想。無念無想……無念無想……何も考えるな、何も考えるな」

アズサ「何も考えなかったら、犯人を捜せないんじゃない……？」

ファルファ「ママ、シャルシャの邪魔しちゃダメだよ」

アズサ「うん……静かにしておきます……」

ひらめきの音

シャルシャ「…………犯人がわかった！」

アズサ「本当、シャルシャ？　すごいよ！　さすが、ママの自慢の娘！」

シャルシャ「犯人は…………母さん」

アズサ「えええええっ！　私なの!?」

ファルファ「ママ、こんなことしちゃダメだよ！　あとでハルカラさんにごめんなさいしようね」

アズサ「私じゃないよ！　ってか、ごめんなさいで許されるんだ」

シャルシャ「今から事件のトリックを説明したいと思う。長くなるかもしれないが、聞いてほしい」

アズサ「わかった。まずは話を聞くよ。そのあとでおかしなところがあったら、ママも反論するからね。二人のためにも犯罪者になるわけにはいかないから」

シャルシャ「母さんが水を取りにキッチンに行ったら、ダイニングにハルカラさんがいるのが見えた。母さんはついカッとなって、ハルカラさんをテーブルにあった壺で叩いて、第一発見者としてみんなを呼んだ。――以上」

アズサ「短っ！　あと、トリック要素、何もないし！　だいたい、ついカッとなったって何？　そんな急にキレたりしないでしょ！」

シャルシャ「人間、つい、カッとなることもある」

ファルファ「だよね。一分先に何が起きるかなんて予測できないもんね。小説の事件でもよく『あんないい人がどうしてこんなことを……』とか言ってるし」

アズサ「いや、一分後に豹変するのは意味合いが違うでしょ……」

シャルシャ「カッとなった理由、たとえば…………ハルカラさんの胸っ！」

ファルファ「あ～、ママ、ハルカラさんぐらいお胸ほしいって言ってることあるよね」

アズサ「ちょっと、ちょっと！　そ、そりゃ……ハルカラの胸の大きさで嫉妬したことぐらいあるよ。どういう生物学上の必然でそのサイズになってるのとか思ったことはあるよ。あるけど、それで壺で殴ったりしないって！」

シャルシャ　「ほかにも証拠はある。その前にキッチンに来ていたライカお姉さんは自分はやってないと言った。となると、ほかに事件を起こせて、アリバイがないのは——母さんしかいない！」

アズサ　「えええ！　異議アリ！　異議アリ！　それだったらライカにもアリバイないことになるじゃん！」

ファルファ　「ライカお姉ちゃんは『自分は絶対やってない』って言ったからシロだよ」

アズサ　「ライカだけ大丈夫で私はダメとか、不公平だよ。じゃあ、私だって絶対やってませーん！　実際やってないし」

アズサ　「だいたいさ、カギも開いてるわけだから誰でも侵入できるし。別にロザリーを疑ってるわけじゃないけど、幽霊のロザリーがそうっと帰ってきて、壺を浮遊させてハルカラに落とすことだってできるでしょ」

ファルファ　「ママ、ミステリーで幽霊が犯人っていうのは反則だよ」

シャルシャ　「そういう筋立ては荒唐無稽で笑止千万」

アズサ　「いや、でも、幽霊いるし。むしろ、同居してるし。しかも、魔法すら存在してるし……」

アズサ　「それにしても、どうやったら犯人扱いをやめさせることができるのかな……」

アズサ　「よーし、こうなったらママにも手があるよ」

ファルファ　「ママ、素直に謝ったほうがいいよ」

シャルシャ　「田舎の娘たちは泣いている」
アズサ　「いや、娘たちは目の前にいるから」

アズサ　立ち上がる

アズサ　「はい、まずはシャルシャからね。ぎゅ～～～～」

アズサ　シャルシャをハグする

シャルシャ　「ん……。母さん、羽交い絞めで窒息させるつもり？　犯人が凶行に及んだ？」
アズサ　「違うよ、ハグだよ。ほら、私を犯人じゃないって認めてくれたら、いくらでもハグしてあげるよ～」
シャルシャ　「むっ、そんな要求には…………」

時間経過

シャルシャ　「母さんは犯人ではない」
アズサ　「ありがとうね、シャルシャ～！　これで無罪確定だ～」

ファルファ　「シャルシャ、犯人に籠絡（ろうらく）されちゃダメだよ！　探偵は強い心を持ってなきゃいけないんだよ！　『名探偵　お菓子屋さんの子供』でもお菓子を食べるのは事件解決の後だよ」

シャルシャ　「……さっき、ベルゼブブさんがくれたお菓子を食べた」

ファルファ　「あっ、ほんとだ」

アズサ　「ファルファも私が犯人じゃないって認めてくれるならハグしてあげるけど～」

ファルファ　アズサに駆け寄る

ファルファ　「ママー、だーい好き！」

アズサ　「うんうん。二人ともかわいいね～。超かわいいいね～」

シャルシャ　「だが、これで捜査は振り出しに戻った」

ファルファ　「犯人は誰なんだろうね～？」

ドアがノックされる音

ハルカラ　「ファルファちゃん、シャルシャちゃん、いらっしゃいますか～？　無事に回復したので、ご報告に来ました～」

ファルファ　「シャルシャ」
シャルシャ　「うん、姉さん、心得ている」
ファルファ　「ハルカラさん、事件の犠牲者として、真相を教えて！」
ハルカラ　「はい、それはいいですけど………わたし、犠牲にはなってませんよ？　生きてますよ～？」

ファルファN　「わたしたち二人は被害に遭ったハルカラさんからお話をうかがうことにしました。いよいよ、謎に満ちた事件の真相が明らかになりそうです」

●シーン5

ファルファとシャルシャ　自室でハルカラに話を聴く

ハルカラ　「いや～、見事に頭に壺が落下しましてね～。壺って思ったより硬いんですね～。

ハルカラ　なんかお花畑の奥でおばあちゃんが手を振ってるのが見えましたよ～」
「でも、そこでおかしいなって気づいて言ったんですよ。『おばあちゃん、まだ生きてますよ～』って。そうしたらおばあちゃん、どこかへ行ってしまいました。
それで気づいたら目が覚めたんです」

シャルシャ「ということは、やはり凶器には壺が使われたということ」

ハルカラ「凶器っていうのはおおげさですよ～。とどめの一撃にはなりましたけど」

ファルファ「どういうことなの？　すでにハルカラさんは攻撃されてたってこと？」

ハルカラ「わたし、テーブルから壺が落ちてくる前から、床に倒れてたんです～」

ファルファ＆シャルシャ「えーっ！」

シャルシャ「もしや、犯人は……ハルカラさんを殴ったあと、自分ではないと見せかけるためにあえて壺を使った⁉」

ファルファ「だとすると、みんな容疑者に再浮上するよ！」

ハルカラ「いえいえ、違いますよ～。今から説明しますね～」

被害者による真相供述

ハルカラ「わたし、今日は休日だったんで、お昼ご飯の後に、ふらっと買い物に出かけたんですけど、ついつい居酒屋で一杯やろうと入っちゃったんです」

ファルファ「そこはハルカラさんらしいね」

ハルカラ「そしたら、不思議なことが起こったんですよ〜」

シャルシャ「不思議なこと？　怪奇現象が起こった？」

ハルカラ「一杯だけのつもりだったのに、なぜか六杯ぐらいお酒を飲んでたんです〜！」

ファルファ「自制心が弱すぎだよ！」

ハルカラ「それで、ふらふらになりながら、高原の家を目指して歩いたんです。いや〜、酔っ払って歩くと遠いですね〜」

ハルカラ「どうにかこうにか、家にまでたどりついたんですけど、部屋に戻る体力はなくて、ダイニングの床にごろんと横になったわけですよ〜」

シャルシャ「それ、あまり清潔とは言えない」

ハルカラ「大丈夫ですよ。だって、お酒で消毒してますから〜、なんちゃって〜」

ハルカラ「でも、わたしも起き上がろうと努力はしたんですよ。近くにテーブルの脚があったから、それを持って、立とうとはしたんです。でも、そのせいでテーブルがぐらぐら動いたらしくて――」

ファルファ「壺が落ちてきたんだね！」

ハルカラ「そうです、そうです！　何かが後頭部に直撃して、その場にぐったりしてたというわけです！　そこにお師匠様が入ってきて、気づいてもらえました〜」

ファルファ「……シャルシャ、謎はすべて解けたね」

シャルシャ　「姉さん、長い戦いだった」
ハルカラ　「あれ、二人とも、やけに怖い顔をしてますけど、どうかしましたか？」
ファルファ　「犯人は」
シャルシャ　「ずばり」

ファルファ&シャルシャ　「ハルカラさん！」

ハルカラ　「えっ？　犯人？　わたし、何も悪いことをした覚えはないんですけど……」
シャルシャ　「自制心に負けて一杯だけのはずのお酒を六杯飲んだ罪」
ファルファ　「あと、人騒がせなことも罪だね」
シャルシャ　「犯人を確保する」

ファルファとシャルシャ　ハルカラの手をヒモで縛る

ハルカラ　「あれ、お二人とも、このヒモは何ですか～？　なんで、わたしの手を縛ってるんですか～？」
ファルファ　「犯人、無事に確保しました！」
シャルシャ　「見せしめのため、ダイニングまで連れていく」

ハルカラ　「すいません、正直に全部話します！　本当は六杯じゃなくて八杯飲んでました！」

シャルシャN　**「犯人の正体もわかり、高原の家にも平穏が訪れた。だが、またいつ凶悪な事件が起こり、人々の笑顔が曇ることになるかもわからない。探偵は人々の笑顔を守るために悪と戦い続ける」**

●シーン6

高原の家のリビング

アズサ　「ふ～ん、つまり、倒れてたのはもともとで、それはお酒の飲み過ぎだったと。そういうことだね」

ハルカラ　「はい、お師匠様……それと皆さん、このたびはお騒がせして申し訳ありませんでした……。すべてはわたしの不徳の致すところです……」

アズサ　「まっ、謝罪も終わったことだし、これで今日のことは水に流そう」
ファルファ　「そうだね！　罪を憎んで人を憎まずだよ！」
シャルシャ　「事件は得体が知れないから恐ろしい。わかってしまえば、たいていくだらないもの」
ライカ　「たしかにあっけない理由でしたね」
ベルゼブブ　「土産の壺がこんな使われ方をするとはのう。……いや、使ったわけではないのか」
ハルカラ　「その壺、思った以上に硬かったです……」
ベルゼブブ　「ふむ、案外武器としても使えるかもしれんのう」
アズサ　「武器になるようなものを、あまり飾りたくないな……」
アズサ　「でも、事件も無事に解決したわけだし、夜は宴会にでもしよっか。お酒もジュースもあるし。ロザリーも夜までにはナスクーテの町から帰ってくるでしょ」
ファルファ　「わーい！」
シャルシャ　「うれしい」
ハルカラ　「お酒だー！」
アズサ　「あっ、ハルカラはすでに飲みまくってるから夜はジュースにしなさい」
ハルカラ　「そ、そんなぁ……。絶対、絶対に大丈夫ですから！」
ライカ　「ハルカラさん……、もう少しだけ、誘惑に打ち勝つ努力をするべきかと」

アズサ　「あと、『名探偵　お菓子屋さんの子供』では、事件解決の後にお菓子をもらうんだよね」

アズサ　「じゃあ、今からフラタ村に行って、お菓子を買ってきちゃおう！」

ファルファ　「わーい！　ママ、本当に大好き！」

シャルシャ　「人間には報酬も必要。大変、ありがたい」

ベルゼブブ　「よーし。次に来た時はもっともっと大量のお菓子を買ってくるのじゃ」

アズサ　「少なくとも、そんな変な壺よりは、そっちのほうがいいかな……」

ベルゼブブ　「むっ、ハルカラに当たった嘆きの壺、少しへこんでおるのう……」

アズサ　「ああ、もしかして高級品だったりした？　だったら、ちょっと申し訳ないな」

ベルゼブブ　「いや、そういうのは別にいいのじゃが……」

ライカ　「何が不都合なことでもあるのですか？」

ベルゼブブ　「この嘆きの壺はのう……自分を傷つけたものを呪うという性質があるのじゃ」

ハルカラ　「え、それって……もしかして……」

呪われたような気配

ハルカラ　「あの、なんで皆さん、わたしのほうを見るんですか……？　嫌だな～、わたし、このとおり、ぴんぴんですよ。何も呪われたりなんてしてませんよ!?　……………

ライカ　　　うっ、胸が！　胸が苦しい……！」
ハルカラ　　「ハルカラさん、顔が青くなってます！　いえ、むしろ、紫色に！」
ベルゼブブ　「ぐおおおお！　胸が苦しい、苦しいっ！」
アズサ　　　「呪いじゃ！　呪いの効果じゃ！」
　　　　　　「ていうか、そんな呪いが含まれてるようなものをお土産に持ってこないでよ！
　　　　　　うわあ、早く解呪の魔法をかけないと……」
ハルカラ　　「胸がへこんでます……何か見えない力に押されてへこんでるように感じま
　　　　　　す……！」
アズサ　　　「ああ、胸がへこんでるんだ。じゃあ、そのままでもいいかな」
ハルカラ　　「お師匠様、どういうことですか！　どうにかしてくださいよ！」
ライカ　　　「壺がへこんだからハルカラさんの胸も呪いでへこまされようとしてるんでしょう
　　　　　　ね。目には目をということですか。それなら納得がいきます」
ハルカラ　　「納得はいいですから、どうにかしてくださいっ！」

　　　　時間経過

ファルファ　「ねえ、シャルシャ」
シャルシャ　「姉さん、何？」

ファルファ「呪いがあるような世界で探偵をするのって空(むな)しいね」

シャルシャ「この世に確かなものなど何もない。ある宗派の教えにこんな言葉がある。諸行無常(しょぎょうむじょう)、色即是空(しきそくぜくう)」

アズサ「あら、二人の探偵ごっこはもうおしまいかな」

シャルシャ「無力な我々でも手を合わせて祈ることはできる。今はハルカラさんに祈りを捧(ささ)げようと思う」

ファルファ「そうだね。ハルカラさん、早くよくな～れ。よくな～れ。痛いの、痛いの飛んでけ～」

ハルカラ「あの、お祈りもいいんですけど……できればお師匠様の解呪の魔法をお願いしまーす！」

終わり

高原の家の家族から学ぶ
ライカの一日課外授業

Morita Kisetsu
森田季節
illust. 紅緒

※本短編はドラマCD第4弾（12巻ドラマCD付き特装版）の脚本に加筆修正を加えたものです

●シーン0

高原の家の庭

ライカ　「はっ！　はっ！　うなれ！　我のこぶし！」

岩が壊れる音

アズサ　「お〜、ライカ、すご〜い！　それだけ巨大な岩をパンチ一発で破壊しちゃうとか、やるな〜」

ライカ　「いえいえ、まだ我はアズサ様の足下にも及びませんよ」

アズサ　「う〜む、もうパワーのほうは高めなくてもいい気がするんだけどね……」

ライカ　「そんなことはありません。この程度でいいだろうと思うことは慢心です。慢心は体の動きを鈍らせますから」

アズサ　「気持ちはわかるけど、たまには武術以外のことも試してみたら？　幅が広がるかもしれないよ」

ライカ 「……うっ。実は……最近少し感じておりまして。単純に力だけを高めても、真(しん)の強さには至れないのではないか、と……」

アズサ 「そっか～。じゃあ、家族から特訓の提案でもしてもらったら？　今日は……というか、今日もベルゼブブ来てるし。……いつもファルファとシャルシャに会いに来るんだよな……」

ライカ 「たしかに！　ほかの方の発想から何か学べることがあるかもしれません！　すべての人は自分の師匠となりえます！　アズサ様、ありがとうございます！」

アズサ 「本当にライカは真面目(まじめ)だな……」

アズサN(ナレーション) 「どうやらライカが、いろんな人を先生にするそうです」

●シーン1

高原の家の庭

ベルゼブブ「なるほどのう。それぞれの者を教師として、自分に足りないところを補っていきたいというのじゃな。ずいぶん殊勝な心掛けじゃのう」
ライカ「ベルゼブブさんからも何か学ばせてください！　魔族ならではのものがあるはずです」
ベルゼブブ「ん〜、じゃが、魔族の農業について説明しても無駄じゃしのう……。わらわならではのものなあ……」
ベルゼブブ「一つ思いついたのじゃ。ちょうどよさそうな長さのが落ちておるのう。ライカよ、まず、これを持て」
ライカ「二本の木の枝ですか。これでいったい何を？」
ベルゼブブ「利き手で二本の枝を持ち、それで飛び回るわらわをつかんでみよ」

ベルゼブブ　ハエの姿になる

ライカ「あっ！　ハエの姿に！」
ベルゼブブ『わらわはハエの王の名を持つ者じゃからな。ハエの姿にもなれる』
ライカ「たしかに二本の枝で飛ぶ虫をはさむのは集中力の特訓になりますね！　昔の高名な剣士もスプーンとナイフでハエをつかんだと言います！」
ベルゼブブ『なんか非衛生的な逸話じゃな……。では、スタートじゃ！』

ハエの飛ぶ音

ライカ　「意識を高める、意識を高める……はっ！」

ハエの飛ぶ音

ベルゼブブ　『ダメじゃな』

ライカ　「ていっ！」

ハエの飛ぶ音

ベルゼブブ　『まだまだじゃ。空を切っておる』

ライカ　「集中、集中……。えい！」

ハエの飛ぶ音

ベルゼブブ　『枝の動きがぎこちないのじゃ』

ライカ「枝をまるで手のようになめらかに動かすイメージ……。やっ！」

ベルゼブブ　ハエの姿でしばらく飛び回る

ベルゼブブ『なんじゃ。もう諦（あきら）めたか？』
ベルゼブブ『いや、おぬしが諦めるわけはないか。次の一回に向けて気合いを入れておるのじゃな』
ライカ「…………すみません、集中力が切れて、口から火を噴いて解決しそうになっていたもので」

ベルゼブブ　人の姿に戻る

ベルゼブブ「おい！　危ないのう！　炎は反則じゃ！　絶対ダメじゃ！　怖くて人の姿に戻ったわ！」
ライカ「……どうも意外とストレスがたまる特訓のようで。我はイライラがたまると炎を吐きそうになることがあるんですが……危うく出かけました」
ベルゼブブ「そのうち、わらわが焼かれそうじゃから、この特訓は中止じゃ、中止！」
ライカ「あっ、ではハエになって飛び回るベルゼブブさんに上手（うま）く炎を当てるという特訓

ベルゼブブ　「さすがに短絡的すぎるじゃろ！」
はどうでしょう?」

アズサN　**「今度は、ライカはハルカラのところに行ったようです」**

●シーン2

高原の家近くの森

ハルカラ　「いや〜、ライカさん、本当に殊勝な心掛けですね〜。その爪の垢をとって、薬にしてハルカラ製薬で売りたいくらいです」

ライカ　「爪の垢は汚いですよ……。ところで、ハルカラさん、どうして森の中に来たんでしょうか?」

ハルカラ　「わたしは武術は教えられませんから、森でキノコを採集します!」

ハルカラ　「……と言いたいところですが、間違って毒キノコをとってもよくないですから、

ハルカラ　薬用になる石を採集することにしましょう」
ライカ　「これなら急遽、冒険をすることになった時も役立つかもしれません！」
ハルカラ　「はい！　薬学の知識も自分を高めることにはつながります！　よろしくお願いします！」
ハルカラ　「では、レッツスタートです〜。おっと、早速見つけちゃいました。わたしってばキノコ以外でも目ざといですね〜」
ハルカラ　「この石を見てください。これは粉にして薬草に混ぜると効果がありますよ〜」
ライカ　「なるほど。メモ、メモ」
ハルカラ　「おっと、また発見しました！　これはかの有名な『賢者の石』」
ライカ　「えええ！　あの伝説のアイテムである『賢者の石』がこんな森の中に⁉」
ハルカラ　「……ではなくて、『賢者になりたかったけど大学中退しちゃった学生の石』ですね。粉にすると、どうってことない体調不良にほどほどに効きます」
ライカ　「それ、あまり使い道はないのでは……」
ハルカラ　「世の中には、何の役に立つかわからないものもたくさんあるんですよ〜。そんな微妙なものも含めて世界なんです。わたし、今、いいこと言った気がします」
ライカ　「……たしかに。そのような考え方もありますね」
ハルカラ　「さあ、どんどん行きますよ〜。この森、まだまだいい石がありますからね〜」
ハルカラ　「おや、誰か森にいらっしゃいますね〜」

ファルファ　駆け寄ってくる

ファルファ「こんにちは～、ライカお姉ちゃんと、ハルカラのお姉さん！」
ハルカラ「あっ、ファルファちゃんじゃないですか～。森で遊んでたんですね～」
ファルファ「石の話が聞こえてきたから、来ちゃったよ」
ハルカラ「ファルファちゃんも石に興味ありますか？　このハルカラ先生がなんでも教えてあげますよ！　キノコと違って誤って食べちゃうこともないですから、わたしが教えてもほぼ安心です！」
ファルファ「あ～、そこの石、ほかの石と比べて色が違うよね～」
ライカ「そういえば、ここだけ異質ですね」
ハルカラ「あれ？　その石はとくに薬用効果はないですよ～」

ブモタラリ先生のBGM

ファルファ「これはこの石が火山の噴火でできたものだからだよ～。大昔の大噴火で飛んできたんだね～」
ライカ「ほうほう！　それは知りませんでした！」

ファルファ　「よく見ると、ほかにも森に噴火があった痕跡があるんだよ～。じゃあ、次はあっちの断層が見えるところに行ってみよっか～」

ライカ　「はい！　地質のことも我は学びたいです！」

ハルカラ　「ちょっと～！　学問のジャンルが変わっちゃってますよ～！　薬になる石の話でしたよね～？」

ファルファ　「このあたりの地質はブモタラリっていう先生の本に詳しく書いてあるよ～」

ライカ　「ファルファちゃん、やっぱり詳しいですね。ためになります！」

ハルカラ　「二人とも、待ってくださいよ～！　置いていかないでくださいよ～！」

ハルカラ　「生徒を奪うのはダメですよ～！　ハルカラ先生ですよ～！」

アズサN　「ハルカラは災難だったね……。さて、ライカは今度はロザリーのところに行きました」

●シーン3

高原の家から遠く離れた樹海

ライカ「ロザリーさん、かなり離れた森まで飛んできましたが、ここで何を教えてくださるんですか？」

ロザリー「ライカの姉御(あねご)、もうちょっと奥まで入ってみればわかりますぜ。さあ、どんどん行っちゃいやしょう！」

ライカ「高原の家の近所の森と、全然違いますね……。全体的に薄暗いというか……」

ロザリー「姉御、いい直感です。このどんよりした空気を感じてくだせえ！　まだまだ行きやすぜ！」

ライカ「……うぅ。まるで夜のように暗いですね……。方角もよくわかりません……」

ロザリー「あ〜、この樹海に入って遭難する冒険者もいるらしいですからね。……逆に言うと、見つかりたくない人間にはもってこいの場所ってことです」

ライカ「まさか、盗賊団の巣窟(そうくつ)にでもなっているのですか？　犯罪なら許してはおけません！」

ロザリー「この先が中心になってますね」

ライカ「わかりました！　我は行きます！」

樹海の奥へ進むライカ

幽霊らしき気配

ライカ　「あれ……？　少なくとも人の気配らしきものはないのですが……。……あれ？　そんなに気温も低くないはずなのに、寒気が……」

ロザリー　(怖がらせるような声音(こわね))「それは……霊の気配を感じたからですよぉ」

ライカ　「ひゃあぁっ！　怖いことを言うのはやめてください！」

ロザリー　(怖がらせるような声音)「でも、本当のことですよぉ。ほら、あの木の幹、顔っぽく見えますよね？　あそこで首を吊(つ)った奴(やつ)がいたんですよぉ」

ライカ　「やめてください！　我は……そ、そういう話は苦手で……」

ロザリー　「苦手だから克服するんですよぉ。姉御は力は強い。でも、怖がりではありますよね？　だから、特訓にちょうどいいと思って、自殺の名所の樹海に連れてきたんですよ」

ライカ　「我は、何も見ません、見ません！　目をつぶります！」

ロザリー　(怖がらせるような声音)「目を閉じると、かえって無防備になって霊がよってきますよぉ。ほら、金縛りも寝ている時になるじゃないですかぁ」

ライカ　「うわあっ！　本当にやめてください！」

ロザリー　「姉御、悪いがここは耐えてくれ！　これも姉御のためなんだ！」

ライカ「なんか、我たち以外の声が今、聞こえたような……」
ロザリー「そこの地縛霊も姉御にエールをかけてくれてますね」
ライカ「そんな応援いらないです！」

幽霊らしき気配と声

ライカ「あれ……今度は誰かが我の名前を呼んだような……」
ロザリー「霊のみんなが姉御の名前を呼んで応援してくれてます。ライカコールが起きてますよ」
ライカ「ひゃあぁっ！　そうっとしておいてください！　我に構わないでください！」
ロザリー「姉御、気を強く持ってくれ！　所詮(しょせん)、霊だ！　やれることといえば、ちょっと呪(のろ)ったりするぐらいだ。たいしたことじゃない！」
ライカ「その呪いが怖いんですよ！　呪わないでください！」
ロザリー「姉御、こんなことしてるアタシもつらいんだ！　でも、姉御が真の強さを手に入れるためには避けて通れねえことなんだ！」
ライカ「……うっ、ううっ………」
ロザリー「おっ、姉御、ついに耐えられるようになってきましたか？　冷静に考えれば怖く

ライカ　ないでしょう？　ちょっと、周囲に霊がいるぐらいですから」
「…………怖すぎて、炎を吐きそうになりました」

ライカ　キレる
ロザリー　焦(あせ)る

ロザリー　「炎はダメですよ!?　この樹海は火気厳禁ですからね！」
ライカ　「あっ、そうか。樹海がなくなれば、樹海で怯(おび)えることもないですよね」
ロザリー　「ダメです、ダメです！　そんな世界を滅ぼすことに決めた破壊神みたいな思考はダメです！」
ライカ　「自然破壊はよくないとわかっているんですが、怖くて炎が出るのは生理現象みたいなものなので。身を守るために炎が出ちゃうことがあるんです」
ロザリー　「わかりやした！　霊がいないところに案内しますから、炎はやめてください！　霊たちも怖がってますから！」
ライカ　「目を開けて歩くのも怖いですね……。炎が出てしまうかもしれません……」
ロザリー　「じゃあ、目はつぶっててＯＫです！　アタシが誘導しますから！」
ロザリー　「あっ、そこ右です！　三歩進んで左！　しばらく道なりです！　この先三叉路(さんさろ)があります！　そこで、右です！」

アズサN　「やっぱり幽霊って怖いよね。ライカはすぐに高原の家に戻ってきました」

●シーン4

高原の家のリビング

フラットルテ　「ライカよ、お前は幽霊なんかが怖いのか？　レッドドラゴンは弱虫だな。まだまだフラットルテ様の敵ではないのだ！」

ライカ　「こ、これは……個性の範疇（はんちゅう）の問題です！　我が弱いわけではありませんし、まして、レッドドラゴンがブルードラゴンより弱いわけでもありません！」

フラットルテ　「なんとでも言え。ちなみにフラットルテ様は頭が弱い以外はだいたい強いのだ！」

ライカ　「それ、堂々と言うことじゃなくないですか……？　バカだって宣言してるようなものですよ……」

フラットルテ　「自分はバカじゃないと強がると、バカにされることを恐れてしまうのだ。バカで

ライカ　　　　あることを認めれば、バカにされても何ともないのだ！」
フラットルテ「うっ！　なんか、深いことを言っているような気がしないでもないです……」
ライカ　　　「だから、フラットルテ様は勉強しないぞ！」
　　　　　　「やっぱり、ただのバカですね。どうやら、あなたから学ぶことはちょっとなさそうです」
フラットルテ「コールドブレスの吐き方を教えてやるのだ」
ライカ　　　「逆立ちしても我にはできません。やっぱり学びようがないですね。……あなたとの組手だったら、普段からやってますし」
フラットルテ「じゃあ、音楽はどうだ？」

フラットルテ　リュートを取り出し奏でる

ライカ　　　「なるほど。あなた、音楽は得意でしたね」
フラットルテ「ではアタシについて歌うのだ。**ラ・ラ・ラ・ラ・ラ～♪**」
ライカ　　　（ズレた音程で）「**ラ・ラ・ラ・ラ・ラ～♪**」
フラットルテ「ちょっとずれてるな。もう一度行くぞ。**ラ・ラ・ラ・ラ・ラ～♪**」
ライカ　　　（先ほどよりは合った音程で）「**ラ・ラ・ラ・ラ・ラ～♪**」
フラットルテ「まだ甘いところもあるが、大目に見てやる。次だ。**ド・ラ・ラ・ラ・ラ・ゴ～ン**

ライカ　（ズレた音程で）「**ド・ラ・ラ・ラ・ラ・ゴ～ン♪**」
フラットルテ　「よくアタシの真似をしろ。**ド・ラ・ラ・ラ・ラ・ゴ～ン♪**」
ライカ　（先ほどよりは合った音程で）「**ド・ラ・ラ・ラ・ラ・ゴ～ン♪**」
フラットルテ　「よし、だんだんと長くしていくぞ。**ド・ラ・ラ・ラ・ラ・ゴ～ン♪　最強～最強～、強くてカっこいい～カ持ち～♪**」
ライカ　「歌詞が三年しか生きてない子供レベルですね……。あなた、腐っても数百年生きてて恥ずかしくないんですか？」
フラットルテ　「歌詞は仮だから別にいいのだ！　やれ！」
ライカ　（ズレた音程で）「**ド・ラ・ラ・ラ・ラ・ゴ～ン♪　最強～最強～、強くてカっこいい～カ持ち～♪**」
フラットルテ　「音程を保て！　**ド・ラ・ラ・ラ・ラ・ゴ～ン♪　最強～最強～、強くてカっこいい～カ持ち～♪**」
ライカ　（先ほどよりは合った音程で）「**ド・ラ・ラ・ラ・ラ・ゴ～ン♪　最強～最強～、強くてカっこいい～カ持ち～♪**」
フラットルテ　「よくなってきたぞ、合わせるぞ！」
フラットルテ&ライカ　「**ド・ラ・ラ・ラ・ラ・ゴ～ン♪　最強～最強～、強くてカっこいい～カ持ち～♪　ド・ラ・ラ・ラ・ラ・ゴ～ン♪　最強～最強～、強くてカっこいい～**

力持ち～♪」

フラットルテ　「うん、最初よりはだいぶマシになったのだ」
ライカ　「フラットルテも音楽的センスはありますね。ありがとうございます。師匠は師匠です」
フラットルテ　「フラットルテ様をもっと讃えてもいいぞ！」
ライカ　「……ただ、この歌詞は頭が悪そうなので、もっとマシなものにしてください」
フラットルテ　「アタシだって、この歌詞がかっこいいとは思ってないのだ！　あくまでも練習用のものなのだ！　今からまともな歌で練習するからな！」

アズサN　「変な歌が響いてると思ったら特訓の一環だったのか……。今度はライカはファルファとシャルシャとともに遠くの町まで課外授業に行きました」

●シーン5

ブライダッタの町

ライカ　「ファルファちゃん、シャルシャちゃん、ずいぶん遠くの町まで来ましたね」
ファルファ　「ライカお姉ちゃん、シャルシャの持ってる箱に今日の課外授業のお題が入ってるの」
シャルシャ　「さっき、雑貨屋さんで買ってきた小箱」
ライカ　「わかりました。開けてみますね。ええと、『ブライダッタの町はなぜ発展した？』」
ファルファ　「そうだよ。今日はこの町がどうやってできていったかを見ていこうね～」
シャルシャ　「ぶらぶら歩いて解き明かしていきたい」
ライカ　「これは地理や歴史の勉強ということですね」
シャルシャ　「まずはこの町の地図を見てほしい」

ライカ　周囲を見回す

ライカ　「……町の両側が深い谷になっていますね」
ファルファ　「そうなんだよ～。じゃあ、その谷を見るために、町のキワのところまで行ってみようね～。でもその前に――」
シャルシャ　「ブライダッタの町名物の、ブライダッタ・パン」
ライカ　「パンですが、やけにもちもちしていて、おいしいですね」

シャルシャ「常軌を逸しているほどもちもちしていることで有名」
ファルファ「じゃあ、みんなで食べながら行こう！」

ライカとファルファとシャルシャ　町の端まで移動する

ファルファ「もぐもぐもぐ。ほら、谷の底のところまで下りていくと、もぐもぐもぐ、両側が硬い岩盤だって、もぐもぐ、わかるよね」
ライカ「もぐもぐもぐ、ああ、本当ですね。では、なんでこんな谷ができたんでしょう？」
シャルシャ「このパン、もぐもぐ、なかなか飲み込むタイミングが難しい、もぐもぐ」
ファルファ「もぐもぐ、実はこの谷のところはもともともぐもぐ、柔らかい土の層だったんだよ。もぐもぐそこが大昔の川の水で、もぐもぐ、柔らかいところだけ削られてなくなったの。もぐもぐ」
ライカ「ほうほう。それで要塞都市に最適な土地ができたもぐもぐ、というわけですね、ごくん。……やっとパンを食べ終えました」
ファルファ「それじゃ、次は町の中に戻って、町がどうやってできたかを見ていこうね！　でも、その前に――」
シャルシャ「ブライダッタの町名物の、ブライダッタ・キャラメル」
ライカ「甘くて美味ですが……んん……すごくねちゃねちゃしますね」

シャルシャ「常軌を逸しているほど、ねちゃねちゃすることで有名」
ファルファ「甘いから疲れもとれるね～」

ライカとファルファとシャルシャ　町の中心部まで移動する

シャルシャ「町の中のことはねちゃねちゃ、ブライダッタの町の歴史に詳しいシャルシャが、ねちゃねちゃ、担当する」
ライカ「ねちゃねちゃ、はい、シャルシャちゃん、ねちゃねちゃ、お願いします。このキャラメル、全然なくなりませんね」
ファルファ「キャラメルのうたい文句は『一粒で三百日もちます』らしいよ～。ねちゃねちゃ」
ライカ「それはいくらなんでも大げさですね……。ねちゃねちゃ」
シャルシャ「さて、ねちゃねちゃ、今、我々はブライダッタの町一番の……ねちゃねちゃ……繁華街の通りに来ている、ねちゃねちゃ」
ライカ「うっ！　キャラメルが歯にひっついてとれません！」
シャルシャ「この大通りを見て、ねちゃねちゃ……ライカお姉ちゃん、気づくことはない？道に特徴がある」
ライカ「そうですね。大通りなのに、まっすぐじゃなくて、うねうねしているような」
シャルシャ「う…………歯にひっついて口が開かなかった」

ライカ　「このキャラメル、食べるのに苦労しますね……」

シャルシャ　「ライカお姉ちゃんは鋭い。ほかにも、この繁華街、特徴があるんだけど、考えてみてほしい」

ライカ　「なんでしょうか？　う～む……」

ファルファ　「シャルシャ、本当に歴史学の教授みたいだね～♪」

シャルシャ　「大通りの縦の筋だけでなく、大通りを貫く横の筋も見てほしい」

ライカ　「横の筋と交差するところに来ましたが……あっ！　横の筋は左右どちらを見ても、ゆるやかな上り坂になっていますね。この繁華街の通りが一番低いです」

シャルシャ　「ライカお姉ちゃん、大正解。これは、この繁華街の通りに川が流れていた痕跡。かつて、ここには小さな川があった」

ライカ　「おお！　町の成り立ちが少しわかった気がします！」

シャルシャ　「川の流れが変わって川が枯れた。そこでその川の跡が今の通りになった。その名残で、この通りだけ、やけにうねうねしていて、まっすぐになっていない」

ライカ　「普段何気なく歩いている町にも、個性的なストーリーがあるんですね。たいへん勉強になります」

シャルシャ　「歴史を学ぶと、訪れたことのない町にやってきても、いろんなことに気づける。……また興味を持ってくれたらうれしい」

ファルファ　「今日のシャルシャは生き生きしてたね～」

シャルシャ「姉さんもそれは同様。地形を見たりしてわかることも多い。やはり、机の上と本の上だけでは学問には限界がある」
ファルファ「うん！　外の空気もた～くさん吸わないとね！」
ライカ「……そうか。お二人がしている学問も現実とつながっているんですね。その逆で、日常の生活も学問につながっている。我は、とても多くのことを学べた気がします！」
ファルファ「ライカお姉ちゃんの役に立てたんだったら、ファルファ、うれしいよ！」
シャルシャ「いろんな学問やいろんな人が重なり合って、新しいものが生まれてゆく。これは今の学問のトレンドでもある」
ライカ「では、せっかくですし、繁華街を歩きましょうか」
ファルファ「うん！　お散歩、お散歩♪」
シャルシャ「散歩中にひらめきを得た哲学者も多い。散歩は脳を活性化させる」
ファルファ「あっ！　ファルファ、いいもの発見したよ！」
ライカ「何がありました？」
シャルシャ「ブライダッタの町名物のブライダッタ焼きがある」
ファルファ「噛み切れないぐらい硬い羊肉を甘辛く煮ているんだよ～」
ライカ「……この町、食べるのに時間かかるもの、多すぎませんか？」
シャルシャ「なので、この町の住民の食事時間は常軌を逸して長い」

アズサN　「この羊肉もやっぱり食べるのに時間がかかったそうです」
アズサN　「そして、ライカは娘たちを乗せて、夕方に高原の家に戻ってきました」

●シーン6

高原の家の庭

ライカ　「アズサ様、家族の皆さんを師匠として一日学んでまいりました！」
アズサ　「いや～、ライカは本当に真面目だな～。でも、いい刺激になったって顔をしてるね」
ライカ　「はい！　いつもの特訓だけではなく、もっと様々なところから様々なものを吸収するべき——我はそう学びました！　そして、それはいつもの特訓にも必ず生かせるはずです！」
アズサ　「向上心がありすぎて、ライカの親の教育方針が気になる！」

ライカ「……ただ、やっぱりその集大成と言いますか……その……」

アズサ「ん……？　なんか、もじもじしてどうしたの？」

ライカ「やはり最後は、アズサ様から指導を受けたいと思いまして」

アズサ「ああ、そういうことか」

アズサ「でもなあ、腕試しの組手みたいなことは、よくライカがフラットルテとやってるし……。今日の流れだと、どうせなら私だけが教えられることがいいか……。薬草のことも、ライカ、たまに手伝ってくれてるせいで、そこそこ知ってたりするんだよね」

ライカ「どうでしょうか、アズサ様？」

時間経過

アズサ「……よし、わかった。私が直々に特訓メニューを与えましょう！」

ライカ「ありがとうございます！　全身全霊で取り組みます！」

アズサ「じゃあ、まずは庭ね！　庭に生えている雑草を素早く引っこ抜いていくこと」

ライカ　庭で草むしりの準備をする

ライカ　「これは腰をかがめた姿勢から攻撃に移るのを速くするための運動ですね。わかりました！」
アズサ　「さあ、はじめ！」
ライカ　「はっ、はっ、はっ！」

ライカ　高速で草をむしる

アズサ　「いいよ！　いいよ！　下半身だけじゃなく、全身の筋肉を使って動いていこう！」
ライカ　「ふっ、ふっ、ふっ！」

ライカ　超高速で草をむしる

ライカ　「終わりました！」
アズサ　「無茶苦茶早い！　想像よりもはるかに早くきれいになっちゃった！」
ライカ　「集中してやりましたからね。雑草の場所も目で追うだけでなく、五感で追いました」
アズサ　「ごめん。言葉の意味がよくわからない」
ライカ　「ロザリーさんの特訓によって、雑草の気配を感じることができたんです。なので、

アズサ　視覚で確認しなくても、雑草がある場所がある程度わかりました」
アズサ　「達人か！」

ライカとアズサ　家のリビングへ移動する

アズサ　「それじゃ、家の中に入って、次の特訓をやります」
ライカ　「はい、アズサ様に言われたとおり、水にぬらした布を持ってきました」
アズサ　「それで壁を磨いていきます！」
ライカ　「わかりました！」
アズサ　「では、はじめ！」
ライカ　「はっ、はっ、はっ！　はっ、はっ、はっ！　はっ、はっ、はっ！　えい、えい、えーい！」

ライカ　超高速で壁を磨く

ライカ　「終わりました！」
アズサ　「さすがにおかしくない⁉　この家、けっこう広いよ⁉」
ライカ　「実は壁のどこに汚れがあるのか、普段から漂っているロザリーさんに聞いて覚え

アズサ　ていたんです。なのでで、無駄な動きなく、ポイントを狙うことができました！」

アズサ　「またロザリーか！　あと……できれば見た目が汚れてないところも拭いてほしかったな……」

アズサ　「まあ、いいや。じゃあ、次は台所に行きます！」

ライカとアズサ　キッチンへ移動する

ライカ　「洗い場に大量のお皿が並んでいますね。これはもしかしなくても――」

アズサ　「そうです！　お皿を全部洗ってきれいにする特訓です！」

ライカ　「さっきの壁を磨く特訓より難易度がずいぶん下がっている気がしますが」

アズサ　「そ、そんなことはないよ！　さあ、油汚れに強い石鹸を使って、レッツスタート！」

ライカ　皿を洗う

ライカ　「**ド・ラ・ラ・ラ・ラ・ラ・ゴ〜ン♪　最強〜最強〜、強くてかっこいい〜力持ち〜♪**」

アズサ　「歌を歌いながら洗い出した！　あと、歌が独特！」

ライカ　「**ド・ラ・ラ・ラ・ラ・ゴ〜ン♪　最強〜最強〜、強くてかっこいい〜力持ち〜♪**」
アズサ　「けっこう頭に残りそうなフレーズ！」
ライカ　「**お・わ・わ・わ・わ・りました〜♪**」
アズサ　「ミュージカルかっ！」

時間経過

ライカ　「さあ、次の特訓は何でしょうか？」
アズサ　「いやあ、早いな〜。もう、やることはないんだよね。洗濯物はすでに畳んだしな……」
ライカ　「あの、アズサ様、少し言いづらいのですが」
アズサ　「うん、何？」
ライカ　「これ、家事を特訓と称しているだけですよね？」
アズサ　「さすがライカ。それに気づいてしまったか……。っていうか、すぐに気づかれるよね」
ライカ　「あの、アズサ様、家事をするのはやぶさかではないですが、我は特訓もしたいのです！　何か特別な特訓をお願いします！」

アズサ「……ライカ、それはちょっと違うよ」
ライカ「えっ、どういうことでしょうか？」
アズサ「特別なことだけが特訓じゃない。むしろ、日々の生活こそが特訓になる——そんなことも、あったりするんじゃない？」

ライカ　息を呑む

ライカ「本当です！　そうだ……ファルファちゃんとシャルシャちゃんからも日常と学問がつながっていると学んだばかりでした……。だとしたら、日常と特訓もつながっているんです。我としたことが！」
アズサ「（うん、やっぱり真面目だ……）」
ライカ「アズサ様、特訓ありがとうございました！」
アズサ「（ライカってけっこうちょろいのでは……？）」
ライカ「今、何かおっしゃいましたか？」
アズサ「何でもないです」
アズサ「さてと。なにはともあれ、ライカは一日頑張ったし、ご褒美をあげないとね」

●シーン7

高原の家のダイニング

フラットルテ「肉だ！　肉なのだ！　肉祭りなのだ！」
ファルファ「お肉、お肉ー！」
シャルシャ「たまには享楽(きょうらく)にふけることも必要」
ベルゼブブ「牛・豚・鶏・羊・猪(いのしし)。よくもまあ、こんなに肉料理ばかりにしたものじゃ」
アズサ「みんな～、どんどん食べていいけど、ライカがまだ食べてない料理を食べ尽くしたらダメだからね。今日の主役はライカだから」
ライカ「アズサ様、我はすでに全種類食べたので大丈夫ですよ」
アズサ「食べることには妥協なし！」
ベルゼブブ「わらわは、辛い料理がもっと多いほうがいいんじゃがのう」
アズサ「ベルゼブブ基準だと、ほかのみんなが辛くて食べられなくなるからダメ」
ベルゼブブ「今度から、この家にマイ地獄香辛料を置いておくのじゃ」
アズサ「名前に地獄ってついてるものをあまり家に置きたくないな……」
ロザリー「姐(ねえ)さん、いつも気になるんですが、食事ってそんなに楽しいものなんですか？」

アズサ「ロザリーにはわかりづらいかもしれないけど、基本的に楽しいよ」
ロザリー「でも、死体を体に入れてるだけですよね」
アズサ「視点が物質的すぎる！　ってか、ロザリーだって生前に食べてるでしょ！　幽霊のギャグわかんないよ！」
アズサ「それはそれとして、ライカは家事をしっかり手伝ってくれたし、一日意識高く動き回ったし、今は思う存分贅沢(ぜいたく)したらいいよ」
ライカ「やっぱり家事だったんですね」
アズサ「か、家事も特訓だから……」
ハルカラ「いや～、祝えることがある時はどんどん祝っちゃいましょ～！」
フラットルテ「ハルカラのやつ、肉をろくに食わずに酒ばっかり飲んでいるのだ」
ハルカラ「菜食主義のエルフにとったら肉よりお酒のほうがいいですからね～。はっはっはっはー」
アズサ「ハルカラ、飲むのはいいけど、吐かない程度にしなさいよ」
ハルカラ「今日は大丈夫です！　なぜかというと危なくなる前にトイレで吐いてますから！」
アズサ「ローマ時代の貴族みたいなことしてる……」

時間経過

ライカ「……皆さん、我は高原の家で暮らせて幸せです！」

ロザリー「いや、ライカの姉御は元々住んでた姐さん以外だと、この中で一番の先輩ですよ」

ファルファ「そーそー。そーだよー。先輩だよー」

シャルシャ「後輩として、先輩からいろいろと学びたい所存」

ライカ「いやいやいや！　先輩だとかやめてください！　恥ずかしいです！」

ハルカラ「先輩、先輩ー♪」

フラットルテ「ライカが嫌（いや）がるなら、あえて先輩と呼んでやるのだ！」

ライカ「アズサ様、皆さんが我をいじめます！」

アズサ「こらこら、みんなほどほどにしないとダメだよ」

アズサ「とはいえ、私も……ライカの真面目さを見習わないといけないなって思う時もけっこうあるんだよな。たまにはライカを先輩扱いしちゃおうかな？」

ライカ「そういうのは困りますー！」

ベルゼブブ「お前ら、みんな仲ええのう……。この空気、わらわは三日に一回ぐらいで十分じゃ」

アズサ「それでも高頻度で来すぎでしょ！」

ベルゼブブ　「娘の顔は見なければならんじゃろ！」
アズサ　「ファルファとシャルシャを娘って呼ぶの禁止！」

終わり

あとがき

お久しぶりです、森田季節（もりたきせつ）です。

ついちょっと前にサンドラが家族になった話を書いたつもりだったんですが、ずいぶん前でしたね……。よくもまあ、こんなにまったりしたノリを続けてこられたなと感じます。スローライフを評価していただけたということで本当にありがたいです。

ただ、ちょっとだけ高原の家にも変化をつけさせようかということで、今回、ペット（？）のミミックが増えました。この子が家族にどういう変化を起こしてくれるのか。次巻以降にも登場しますので、お楽しみに！

さて、小説ももう十五巻というところまで来ましたが、この本が出ているレーベルも創刊十五周年ということだそうです。めでたい！

十五周年というと、信長が本能寺の変で死んで、天下を引き継いだ秀吉がそろそろ死ぬぐらいの期間ですね。たとえが微妙に不吉だけど、とにかく歴史が移り変わるぐらいの期間だということが言いたかったです！

一月の末には、GA文庫&GAノベルの作品を集めたWEBイベント「GA FES 2021」

が開催するそうで、そのステージ上で「スライム倒して３００年」のアニメに関してもいろいろお知らせがあると聞いてますので、どうぞお楽しみに！（リンクを最後に張っておきますね！）
ただ、ほかのキャラがずらっと並んでる絵を見たら、明らかにアズサの帽子がデカすぎて場所を占拠してました。三段ぐらいに並んでるイラストでは一番上の段でしたが、これ、完全に集合写真の時、背が高くて自動的に後列に回される人の扱いですね（笑）。

さて、次の十六巻の特装版ではドラマＣＤ第六弾がついてきます！　ドラマＣＤも六本目まで来ましたか……。もう予約もはじまっているので、よかったらご予約ください！　内容ですが、なんと現代の相沢梓のところに高原の家の面々がやってきます！　こちらは四月発売予定です！

それと、ドラマＣＤというと、この十五巻では第三弾と第四弾のドラマＣＤの脚本をおまけで収録しております。せっかくなので、それについての解説でも書こうかなと。

ドラマＣＤでは小説の形式ではできない音声を使ったネタを多用しました。ファルファが変な探偵口調でしゃべったり、ライカとフラットルテがドラゴンの歌を歌ったり、ハエになったベルゼブブが音を立てて飛んだりといったところがそれです。

まあ、本来は音で聴いてもらうものを文章で発表するのって、そのまま伝わるわけがないのがつらいところなのですが……脳内で音を想像して読んでください！

また、ドラマＣＤでは本編の小説ではできない（厳密にはできなくはないのですが、やらない）ような作りにしています。どういうことかというと、ドラマＣＤはアズサ視点じゃない作りにしてるんですね。

十五巻のあとがきで今更書くことでもないですが、小説本編はこれまでずっとアズサの一人称視点でした。彼女がいない時間にみんなが何をしているのかということは書いていません。表現を変えれば、小説だと主役を一人称視点のアズサ以外にできないんですね。なので、ドラマCDでは意図的にアズサ以外を主役にする話にしています。

当然、ドラマCDも商品なので、たとえばファルファとシャルシャが遊んでるだけで、ほかは誰も出てこない話なんてものは絶対に作れないのですが……本編とは違うものになることは心がけております。

次のドラマCD第六弾も本編では絶対に起きないことをやってます。ぜひ特装版を買って確かめてみてください！　――――って、結局、宣伝になってしまった！

さて、小説以外の媒体の告知を。

まず、シバユウスケ先生によるコミカライズ八巻は三月発売予定です！

コミックもだんだん巻数が増えてきましたね。そして、サンドラもコミックのほうに登場！　これからものほほんと高原の家の家族たちがやっていきますのでよろしくお願いいたします！

続いて、アニメですね。

二〇二一年の春にスタートする予定で、今準備をいろいろと進めてます！

といっても、原作者がやることというのはあまりないので（原作者はあくまでも原作者であって、アニメを作る人間ではないので）、一視聴者としていいアニメになったらいいなと思いながら、じっくり待ちたいと思います。制作会社の皆さん、あとは任せた！

それと、本渡楓さん（ライカ役）・千本木彩花さん（ファルファ役）による「スライム倒して３００分」という一日一分のＷＥＢラジオを毎日放送しています！

ラジオというと、その時間しか聞けないみたいですが、ｙｏｕｔｕｂｅに上がっているので更新されたものはすべて聞けます。よかったら、聞いてみてください！


最後に謝辞を。イラスト担当の紅緒先生、いまだに新キャラが出るシリーズの担当、ありがとうございます！　またコミカライズ担当のシバユウスケ先生、アニメに携わってくださっている方々も本当にありがとうございます！　そして応援してくれている皆さんのおかげでこんなに続けられました！　最大級の感謝を！

長いシリーズになりましたが、３００年と比べれば誤差みたいなものなので、これからもだらだら続けたいと思います！　よろしくお願いいたします！

森田季節

『GA FES 2021』

公式HP

TVアニメ応援ラジオ
『スライム倒して300分』

スライム倒して300年、知らないうちにレベルMAXになってました15

2021年1月31日　初版第一刷発行
2021年3月9日　第二刷発行

著者　森田季節

発行人　小川 淳

発行所　SBクリエイティブ株式会社
〒106-0032　東京都港区六本木2-4-5
03-5549-1201　03-5549-1167（編集）

装丁　AFTERGLOW

印刷・製本　中央精版印刷株式会社

ISBN978-4-8156-0706-7
Printed in Japan

ファンレター、作品のご感想をお待ちしております。

〒106-0032　東京都港区六本木 2-4-5
SBクリエイティブ株式会社
GA文庫編集部 気付

「森田季節先生」係
「紅緒先生」係

本書に関するご意見・ご感想は
下のQRコードよりお寄せください。
※アクセスの際に発生する通信費等はご負担ください。